les indispensables

gourmandises

p

Copyright © Parragon 2005
pour l'édition française

Réalisation : *In*Texte

ISBN : 1-40544-957-8

Imprimé en Chine
Printed in China

NOTE

Une cuillerée à soupe correspond à 15 à 20 g d'ingrédients secs et 15 ml
d'ingrédients liquides. Une cuillerée à café correspond à 3 à 5 g d'ingrédients secs
et 5 ml d'ingrédients liquides. Sans autres précisions, le lait est entier, les œufs sont
de taille moyenne et le poivre est du poivre noir fraîchement moulu.

Les temps indiqués dans les recettes ne sont donnés qu'à titre indicatif.
Les temps de préparation peuvent varier en fonction des techniques employées
et les temps de cuisson en fonction du four utilisé. Un four doit toujours
être préchauffé. En fonction des recettes, les temps de cuisson comprennent
les éventuels temps de réfrigération et de marinade.

Les valeurs nutritionnelles indiquées à chaque recette s'entendent par personne
ou par portion. Les calculs ne tiennent compte ni des ingrédients facultatifs,
ni des variantes et des suggestions de présentation.

Les recettes utilisant des œufs crus ou peu cuits sont déconseillées aux nourrissons,
aux personnes âgées, aux femmes enceintes, ainsi qu'aux personnes malades
ou convalescentes.

sommaire

introduction
4

biscuits
14

cakes et pains
50

tartes, tourtes et petits fours
100

petits gâteaux
158

gâteaux
196

pâtisseries et puddings
224

index
254

introduction

Les recettes de gourmandises proposées dans ce livre sont à base de farine et cuites au four. Vous ne regretterez pas d'avoir passé du temps dans votre cuisine pour confectionner gâteaux, pains, tartes, biscuits, cakes, petits fours et puddings, surtout lorsqu'ils embaumeront la maison et que vous les dégusterez à la sortie du four. Le résultat sera des plus gratifiants, même pour les novices !

Les premiers fours étaient alimentés avec du bois et seuls les gens aisés en possédaient. Les plus pauvres se contentaient de faire cuire leurs aliments sur des tôles ou dans des pots en fonte au-dessus d'un feu, ou de se rendre au fournil public. Les fourneaux alimentés au charbon ont fait leur apparition au XIXe siècle, puis les fours à gaz et électriques se sont imposés dans les cuisines modernes au XXe siècle. La cuisine a toujours occupé une place importante dans la vie domestique, mais les temps changent et les longues heures qui lui étaient réservées font maintenant partie du passé. La tradition faisait de la cuisine le domaine des femmes, mais la plupart d'entre elles travaillent désormais et n'ont plus le temps de cuisiner. Les habitudes alimentaires ont également évolué et nous avons oublié les plaisirs des copieux repas clôturés par de gros gâteaux et des thés entre amis. Mais le plus regrettable, c'est que les enfants n'apprennent plus les gestes traditionnels.

Heureusement, la nouvelle tendance fait de l'art culinaire une activité récréative et relaxante. Avec la panoplie d'équipements modernes et une préférence pour les desserts moins sophistiqués, chacun peut confectionner des gourmandises délicieuses avec un minimum d'efforts.

équipement électrique

robot de cuisine : ses emplois sont multiples. Il sert à mélanger diverses préparations, à pétrir la pâte à pain, à hacher les fruits et les fruits à écale, à râper le chocolat ou encore à réaliser des coulis de fruits.

batteur électrique : si vous faites beaucoup de cuisine, le batteur électrique est un outil précieux. Il vous permet de travailler de grandes quantités et se révèle plus efficace pour battre une préparation en crème qu'un robot de cuisine. Grâce à ses fouets, il incorpore davantage d'air, il est donc idéal pour préparer certains gâteaux, ou battre les blancs des meringues en neige. Il incorpore aussi des ingrédients comme les fruits secs ou pulpeux, sans les hacher.

mixeur plongeant : peu onéreux, il permet sans difficulté de réduire en crème de petites quantités, de battre des blancs d'œufs ou de la crème.

machine à pain : devenue récemment très populaire, elle mélange, pétrit et cuit le pain. Même si vous souhaitez donner vous-même une forme précise au pain, faire des petits pains ou ajouter d'autres ingrédients avant la cuisson, l'appareil permet néanmoins de mélanger et de pétrir la pâte.

matériel de mesure

balances : lorsque vous cuisinez, il est important de mesurer précisément les ingrédients. Vous devez absolument disposer d'une balance fiable. Il en existe de plusieurs sortes. Les balances électroniques sont les plus précises, notamment pour les petites quantités. Elles sont généralement équipées d'une tare qui vous permet de peser des ingrédients dans une jatte ou un plat, en la remettant à zéro entre chaque ajout.

Les balances classiques sont solides et précises mais ce n'est pas toujours suffisant lorsqu'il s'agit de mesurer de très petites quantités. Il existe aussi des séries de poids et des balances à ressort, mais celles-ci sont plus fragiles et ont tendance à être légères, donc plus faciles à renverser.

équivalence des cuillerées : 1 cuillerée à café correspond approximativement à 5 ml d'ingrédients liquides et à 3 à 5 g d'ingrédients secs ; 1 cuillerée à soupe correspond à 15 ml d'ingrédients liquides et à 15 à 20 g d'ingrédients secs.

verres doseurs : l'ustensile le mieux adapté est un verre doseur transparent et résistant à la chaleur, car vous pouvez ainsi lire facilement les mesures et le mettre au micro-ondes pour chauffer du lait ou faire fondre du beurre par exemple. N'hésitez pas à acheter des verres doseurs de tailles différentes : il vaut mieux utiliser un petit verre pour mesurer de petites quantités de liquide qui risqueraient de rester au fond d'un verre trop grand.

batterie de cuisine

Lorsque vous achetez des ustensiles, choisissez-les de la meilleure qualité possible, surtout en ce qui concerne les moules à gâteaux, les moules à tarte et les plaques de four. Les produits bon marché sont fragiles et risquent de se déformer avec la chaleur du four, au contraire des moules de bonne qualité, solides et résistants, qui répartissent uniformément la chaleur. Prenez soin de vos moules et, s'ils ont un revêtement antiadhésif, veillez à les laver à l'eau chaude savonneuse pour éviter la formation d'une couche de graisse qui diminuerait leur anti-adhésion. Évitez d'utiliser des outils métalliques sur un revêtement antiadhésif, pour ne pas les rayer. Il est important de sécher les moules après les avoir lavés pour éviter qu'ils rouillent, le mieux étant de les remettre dans un four qui refroidit. L'utilisation de l'aluminium anodisé se répand de plus en plus et donne des moules de très bonne qualité, solides, qui ne rouillent pas et conduisent bien la chaleur.

moules à gâteaux : achetez les moules à génoise par deux, les dimensions les plus utiles étant 18 cm et 20 cm. Vous aurez besoin de moules ronds profonds de même diamètre. À l'instar des moules à génoise, ils peuvent avoir des fonds fixes ou amovibles et un revêtement antiadhésif. Des moules carrés profonds peuvent remplacer les moules ronds pour nombre de gâteaux, notamment ceux aux fruits. Les moules carrés ou rectangulaires moins profonds conviennent bien pour les brownies et les gâteaux feuilletés. Les moules à fond amovibles à fermeture métallique qui libère les parois sont parfaits pour les cheesecakes et les gâteaux fragiles ou la garniture sablée que vous préférez

ne pas retourner. Vous trouverez aussi un éventail de moules à savarin, à kouglof et à gâteau de Savoie, pourvus d'un trou. Les gâteaux ainsi faits sont particulièrement beaux, mais vous pouvez aussi bien utiliser un moule rond et en faire un moule à savarin en plaçant une boîte de conserve au centre. Les moules à fond amovible existent avec différentes bases, dont certaines ont une cheminée.

moules à cake : ces moules rectangulaires existent en contenances de 450 et 900 g. Ils conviennent parfaitement pour les cakes et, en fait, pour n'importe quel gâteau auquel vous souhaitez donner une forme rectangulaire, facile à couper en tranches.

plaques de four : de solides tôles sont essentielles pour confectionner biscuits, meringues, choux et scones. Lorsque vous faites cuire les tartes sur une plaque préchauffée, vous êtes certain d'obtenir une pâte croustillante. Elles sont généralement plates avec un seul bord relevé, pour faire glisser facilement les tartes et les biscuits. Il est pratique d'en avoir deux ou trois pour faire cuire plusieurs fournées en même temps. Les tailles les plus utiles sont 20 x 30 cm, 25 x 35 cm et 28 x 40 cm.

moules à tarte : les moules à tarte aux bords cannelés sont très variés. Pour les tartes, ils sont moins profonds que pour les quiches. Les professionnels préfèrent utiliser les cercles à entremets, lisses ou cannelés, qui se posent sur une plaque de four. On utilise les cannelés pour les tartes sucrées et les lisses pour les tartes salées et les quiches.

moules alvéolés : ce type de moules composé de six et douze alvéoles existe en différentes tailles. Les moules profonds conviennent aux gros ou mini-muffins, et les moins profonds aux petites tourtes, tartelettes, mini-quiches et mini-cakes. Dans les magasins de cuisine spécialisés, vous trouverez également différents moules individuels de formes et tailles variées pour vos petits fours.

autre matériel

Il existe toute sorte de matériel qui pourrait s'accumuler dans vos placards et, pour la plupart, ne jamais en sortir, mais certains ustensiles sont essentiels pour rendre aussi efficace le temps passé en cuisine.

grilles à gâteaux : il est important de mettre les gâteaux et les biscuits à refroidir sur des grilles. Cela laisse l'air circuler en dessous et évite que la base soit humide et lourde. Si vous prévoyez de faire beaucoup de biscuits, achetez-en plusieurs.

tamis : ils vous seront nécessaires pour tamiser farine, sucre glace, chocolat en poudre, épices et levure. Tamiser évite la formation de grumeaux et permet d'incorporer de l'air, et donc de rendre le mélange plus léger. Un petit tamis, l'équivalent d'une passette à thé, sert à saupoudrer du sucre glace ou du chocolat sur un gâteau. On se sert aussi de chinois pour filtrer les crèmes avant de les cuire ou pour enlever les zestes d'orange ou les gousses de vanille après avoir laissé leurs arômes infuser le lait. Pour filtrer les coulis de fruits, il vous faudra un chinois en acier inoxydable ou en nylon.

jattes : choisissez de grandes jattes, afin d'incorporer autant d'air que possible en battant les préparations ou en montant les blancs d'œufs en neige. Il en est de même pour la pâte à pain qui aura la place de lever. Préférez les jattes en porcelaine ou en verre aux jattes en plastique : il est plus facile de vérifier qu'elles sont parfaitement propres et dépourvues de graisse, ce qui a son importance dans la confection de meringue.

rouleaux à pâtisserie : ils doivent mesurer au moins 50 cm de long, être en bois, parfaitement lisses et ne pas avoir de poignées. Un rouleau de qualité est essentiel pour bien abaisser la pâte et les biscuits et, une fois graissé, il est idéal pour donner leur forme aux tuiles et autres biscuits incurvés.

emporte-pièce : il vous faudra aussi une série d'emporte-pièces lisses ou cannelés pour découper pâtes, biscuits et scones, et quelques emporte-pièces de formes différentes, surtout si vous voulez faire des biscuits avec des enfants. Les emporte-pièces sont soit en métal, soit en plastique, mais si ces derniers sont plus sûrs pour les enfants, les premiers découpent mieux, sans étirer la pâte, ce qui est important avec la pâte feuilletée, qui ne lève pas correctement lorsqu'elle a été mal découpée.

poches à douilles : les poches à douilles en nylon sont très variées. Elles sont solides, peuvent être lavées et réutilisées. Si vous voulez les remplir de préparation pour crèmes, meringues, choux et biscuits, il vous faudra une poche relativement grosse. Pour faire des décorations, vous pouvez en fabriquer avec du papier sulfurisé, ou découper le bout d'un petit sac en plastique.

douilles : les plus utiles sont les douilles simples et les grosses douilles en étoile pour les crèmes, les meringues, les choux et les biscuits. Les douilles plus petites sont utiles si vous désirez vous lancer dans la décoration des gâteaux.

râpes : les râpes à plusieurs faces sont idéales pour râper fromage, chocolat, zestes, gingembre et noix muscade. Les petites râpes sont utiles, surtout pour la noix muscade.

pinceaux à pâtisserie : on les utilise pour enduire de lait ou d'œuf les tartes ou les scones, humidifier le bord des tourtes et graisser ou glacer les fruits. Les pinceaux plats conviennent mieux aux grandes surfaces et les ronds aux plus petites. Choisissez des pinceaux de bonne qualité, moins ils sont chers, plus ils perdent leurs poils. Lavez-les à l'eau chaude savonneuse et rincez-les bien avant de les sécher parfaitement.

ustensiles : les cuillères en bois doivent avoir de longs manches et des bouts arrondis. Elles conviennent bien pour battre, réduire en crème et remuer les préparations dans une casserole. Il faut une grande cuillère métallique pour incorporer la farine dans les préparations des gâteaux et les blancs en neige. Il vous faudra une spatule en caoutchouc souple à long manche pour racler la préparation des parois d'une jatte. Les spatules servent à étaler les garnitures et les glaçages, ou à retourner les préparations.

Un fouet arrondi est idéal pour battre de la crème ou des blancs d'œufs, ou pour remuer une sauce de façon à éviter la formation de grumeaux. Un couteau à dents est précieux pour découper les gâteaux. Le zesteur permet de prélever le zeste des agrumes en bandes fines et délicates. Un économe à lames pivotantes est idéal pour éplucher les fruits, prélever des zestes et des copeaux de chocolat.

ingrédients

Ayez toujours une gamme d'ingrédients de base pour préparer un gâteau ou un dessert quand l'envie vous prend. Achetez des ingrédients de bonne qualité en petites quantités et remplacez-les souvent, au lieu d'acheter de grandes quantités qui s'abîment vite. Conservez les ingrédients secs au frais, dans des récipients hermétiques.

farine : la farine est la base qui lie les ingrédients, il est donc important de choisir celle qui convient. La réaction de la farine à la cuisson dépend de sa capacité à former du gluten. Les farines de blé dur contiennent beaucoup de gluten et servent à faire du pain et des choux.

La farine de froment sert pour la plupart des biscuits, les gâteaux aux fruits et les génoises. Elle accompagne des blancs en neige, puisque l'air contenu dans les blancs fait monter la préparation. Vous pouvez obtenir une farine levante en ajoutant de la levure chimique : il faut compter 4 cuillerées à café de levure pour 450 g de farine.

Dans certains gâteaux, vous pouvez remplacer la farine ordinaire par de la farine complète, mais comme on obtient une texture plus lourde, on la coupe avec de la farine ordinaire. Après avoir tamisé la farine complète, ajoutez le son qui reste dans le tamis. La farine complète est foncée et utilisée avec de la farine ordinaire pour confectionner des blinis.

La maïzena est une farine de maïs à haute teneur en amidon qui donne une texture grenue aux biscuits. On l'ajoute aux blancs d'œufs pour obtenir un cœur moelleux.

La polenta se mélange à la farine ordinaire pour donner une couleur jaune et une texture croustillante et aérée aux gâteaux, muffins et pains de maïs. La semoule s'utilise de la même façon : son grain est fin et elle est riche en protéines et en amidon.

agents levants : la levure chimique est un mélange de crème de tartre et de bicarbonate de soude, qui produit du gaz carbonique et fait lever une pâte. Elle agit dès qu'on la mouille, il ne faut donc pas attendre trop longtemps avant de mettre le gâteau au four. Lorsque vous préparez un gâteau en mélangeant tous les ingrédients dans la même jatte, il vous faudra ajouter un peu de levure chimique à la farine levante pour aider le gâteau à lever, parce que cette méthode n'incorpore pas autant d'air que si vous battez les ingrédients séparément. On ajoute aussi de la levure chimique à la pâte à scones. On utilise parfois du bicarbonate de soude seul pour alléger des préparations lourdes, surtout si la préparation est épicée. La levure de boulanger déshydratée sert à faire lever la pâte à pain en produisant du gaz carbonique. Les puristes préféreront utiliser de la levure de boulanger fraîche pour faire leur pain, mais les levures déshydratées sont plus faciles à trouver, pratiques à conserver dans un placard, faciles à utiliser et donnent d'excellents résultats.

sucres : le sucre non raffiné, parfaitement adapté, est très utilisé ici. Il conserve la mélasse de la canne à sucre qui lui donne une saveur sucrée, douce et ronde.

Le sucre en poudre est aussi très utilisé, son grain fin se mélange bien avec le beurre et se dissout vite quand on le bat avec des œufs. Le sucre en poudre aide le mélange à conserver l'air. Dans les préparations pour gâteaux, on utilise du sucre cristallisé qui se dissout progressivement.

Certaines recettes utilisent du sucre de canne brun ou clair. Tous deux sont moelleux et ont une saveur très prononcée. Ils ont toutefois tendance à former des blocs dans leur boîte et il faudra peut-être les tamiser avant de les utiliser.

Le sucre glace est un sucre fin, poudreux, pour les glaçages et les garnitures à la crème au beurre. Il sert aussi à sucrer les gâteaux et à réaliser des décors à l'aide d'un tamis. Le sucre glace brut a une couleur dorée,

préférez le sucre glace blanc raffiné pour un glaçage vraiment blanc. Tamisez toujours le sucre glace avant de l'utiliser. Certaines recettes utilisent du sirop de sucre de canne, du miel ou du sirop d'érable.

œufs : sauf indication contraire, on utilise des œufs de taille moyenne. Pour plus de saveur, préférez des œufs biologiques. Les œufs aèrent un gâteau et lui apportent richesse et saveur. Ils se conservent 1 à 2 semaines au frais, mais il faut les laisser revenir à température ambiante avant de les utiliser pour obtenir de meilleurs résultats. Si vous avez oublié de les sortir du réfrigérateur, plongez-les dans l'eau chaude. Une fois que vous aurez pesé tous les autres ingrédients, ils seront à la bonne température.

produits laitiers et graisses : il est préférable de choisir du beurre, bien plus savoureux, pour la plupart des recettes de ce livre. Mais vous pouvez toutefois le remplacer par une margarine de bonne qualité. Pour les gâteaux où les ingrédients sont mélangés en une seule fois, choisissez une margarine tendre destinée à la cuisson et non-allégée. Le beurre se conserve 2 à 3 semaines au frais, mais il faut le laisser revenir à bonne température avant de s'en servir pour beurrer un plat ou le battre en crème.

Si une recette requiert du beurre « en pommade », c'est qu'il doit avoir été sorti du réfrigérateur à l'avance pour pouvoir être malléable et battu en crème. Utilisez du beurre demi-sel pour les gâteaux, cakes et biscuits et du beurre doux pour les garnitures et glaçages. Le beurre utilisé dans une pâte brisée en rehausse la saveur, mais on ajoute de la graisse végétale pour une pâte croustillante.

La crème fraîche épaisse figure aussi dans les ingrédients de base. Elle contient une haute teneur en lipides, qui permet de la fouetter en crème ferme. La crème fouettée la remplace mal car elle ne reste pas ferme aussi longtemps.

Le mascarpone est un fromage frais italien qui forme une garniture onctueuse, le fromage blanc est un ingrédient essentiel du traditionnel cheesecake, et la crème aigre ajoute de l'onctuosité. Enfin, le babeurre est un ingrédient traditionnel des scones et son acidité favorise leur levée.

fruits secs et séchés : achetez les fruits secs en petites quantités, ils deviennent rances et amers après 3 à 4 mois. Les fruits secs moulus perdent leur saveur encore plus vite. Si vous achetez des amandes non blanchies, blanchissez-les avant de les utiliser. Pour cela, recouvrez-les d'eau bouillante et attendez quelques minutes, la peau brune s'enlève alors aisément. Pour enlever la peau brune des noisettes, faites-les chauffer au four sur une plaque ou dans une poêle sèche, quelques minutes, mettez-les dans un torchon sec et frottez vigoureusement, la peau part toute seule. Lorsque vous faites griller les noisettes, les amandes ou les pignons dans une poêle sèche, cela développe leur arôme, mais il est très facile de les faire brûler car ils contiennent beaucoup d'huile.

La noix de coco fraîchement râpée ajoute du moelleux aux gâteaux et les copeaux de noix de coco grillée sont parfaits pour la décoration. Les fruits séchés sont utilisés dans de nombreuses recettes de ce livre et pour décorer des gâteaux. Conservez-les dans des récipients hermétiques sinon ils se dessécheront très vite. La plupart des fruits séchés, tels que les raisins, seront meilleurs après avoir trempé une nuit dans du jus d'orange, du cognac ou même de l'eau chaude. Les fruits séchés prêts à consommer ont déjà été trempés et sont moelleux et tendres. Si vous utilisez des écorces confites, il vaut toujours mieux les acheter entières et les couper vous-mêmes plutôt que d'acheter des boîtes de zestes prédécoupés.

épices : si possible, achetez plutôt des épices entières, et concassez-les en fonction des besoins, car elles perdent vite leur saveur une fois moulues.

Cependant, certaines épices, comme la cannelle, sont difficiles à moudre chez soi. Utilisez rapidement les épices déjà moulues, et conservez-les dans un placard plutôt que sur un plan de travail.

Les gousses de vanille doivent être collantes et souples. Mettez-en une dans un bocal de sucre en poudre et utilisez le sucre aromatisé pour les gâteaux. À la place des gousses de vanille, utilisez de l'extrait de vanille, qui est produit en macérant des gousses écrasées dans de l'alcool. L'arôme vanille synthétique est bien moins bon. L'eau de fleur d'oranger et de rose sont des essences distillées, au parfum prononcé qui ajoutent des saveurs exotiques à certains gâteaux et sirops.

bases de la cuisine

température du four : les températures varient selon les fours et les temps de cuisson recommandés ne sont donnés qu'à titre indicatif. Les températures indiquées ici sont celles de fours classiques. Si vous avez un four à chaleur pulsée, reportez-vous au manuel, puisque le temps de cuisson est beaucoup plus court et qu'il faudra peut-être réduire la température. Il est important de préchauffer le four. Dans la plupart des cas, placez la grille au milieu. Dans les fours à chaleur pulsée, la température est uniforme dans tout le four, ce qui vous permet de faire cuire plusieurs fournées à la fois.

préparation des moules : il est important d'utiliser le moule de la taille et de la forme adéquates, mais si ce n'est pas possible, adaptez le temps de cuisson. Si le moule est légèrement plus grand que celui indiqué dans la recette, le gâteau sera plus fin et cuira plus vite.

N'oubliez pas de préparer le moule avant de l'utiliser, si vous ne voulez pas que le gâteau y adhère. Les moules aux formes originales doivent être enduits d'huile ou de beurre et saupoudrés de farine. Les moules ronds ou rectangulaires peuvent être chemisés de feuilles en silicone ou de papier sulfurisé graissé. Pour éviter que les gâteaux aux fruits noircissent et sèchent sur les bords, placez une bande épaisse de papier d'emballage sur l'extérieur du moule.

Pour chemiser un moule rond ou carré, badigeonner l'intérieur du moule d'huile ou de beurre. Découpez une bande de papier d'une longueur égale au périmètre du moule et d'une hauteur de 5 cm de plus que la hauteur du moule. Repliez un des bords longs du papier de 2,5 cm, marquez le pli et incisez tous les 2,5 cm, le long du bord jusqu'au pli. Mettez la bande dans le moule, incisions vers le fond et appuyez bien. Posez le moule sur une autre feuille, tracez un trait autour du fond du moule et découpez pour placer le papier dans le fond du moule.

Pour chemiser un petit moule carré ou à cake, posez le moule sur une feuille de papier assez large pour remonter le long des bords et dépasser de 2,5 cm. Tracez un trait autour du fond et marquez le pli le long des traits. Sur les bords longs, découpez le long des plis jusqu'aux marques de crayon. Graissez le moule et chemisez-le de papier, en repliant les rabats derrière les côtés plus longs.

Pour bon nombre de recettes, il suffit de graisser et de chemiser le fond des moules avec un cercle ou un carré en papier. Pour les moules à cake, chemisez un moule graissé d'une bande de papier de la largeur du moule et suffisamment longue pour remonter le long des bords courts.

séparer les œufs : brisez soigneusement la coquille sur le bord d'une jatte, séparez délicatement la coquille en deux, en veillant à ne pas casser le jaune. Passez rapidement le jaune d'une moitié de coquille à l'autre en laissant le blanc tomber dans la jatte en dessous.

faire fondre du chocolat : quand vous faites fondre du chocolat, veillez à ce qu'il ne surchauffe pas. La méthode la plus fiable est de le mettre dans une jatte disposée sur une casserole d'eau frémissante, en veillant à ce que le fond de la jatte ne touche pas l'eau. Retirez dès que le chocolat a fondu.

méthodes de base :

confection de gâteaux : les gâteaux de ce livre se font soit en battant des ingrédients en crème, soit en mélangeant tous les ingrédients en même temps. Dans le premier cas, il faut battre le beurre en crème avec le sucre et les œufs pour incorporer l'air. Pour de bons résultats, les ingrédients doivent être à température ambiante. Commencez par battre le beurre en crème puis ajoutez le sucre et battez jusqu'à ce que le mélange blanchisse et double de volume. Ajoutez les œufs battus progressivement en mélangeant bien entre chaque ajout. Si la préparation prend un aspect caillé, elle ne retiendra pas autant d'air. Incorporez alors de la farine en formant des huits à l'aide d'une cuillère métallique, sans battre ou fouetter la préparation, sinon elle retombera. Elle doit être homogène et crémeuse et napper la cuillère. Si elle semble trop épaisse, ajoutez un peu de lait. Vous pouvez réduire la préparation en crème dans un robot de cuisine ou à l'aide d'un batteur électrique. On peut aussi mettre tous les ingrédients dans une jatte et les battre jusqu'à ce qu'ils forment une préparation homogène. Vous y parviendrez facilement avec l'aide d'un robot de cuisine. Ajoutez de la levure chimique pour compenser le fait que cette méthode n'incorpore pas autant d'air que la précédente.

retourner et conserver les gâteaux : cuite, une génoise doit être gonflée et dorée. Le bord du gâteau commence à peine à se détacher des parois du moule. En pressant légèrement du bout des doigts, le centre du gâteau doit être élastique. Si vous piquez la pointe d'un couteau, elle doit ressortir propre et ne pas coller, même si ce test n'est pas fiable pour les gâteaux contenant des fruits. Laissez le gâteau reposer dans le moule quelques minutes. Si les parois du moule ne sont pas chemisées, passez un couteau le long des parois du moule pour détacher le gâteau. Retournez le gâteau sur une grille, laissez-le refroidir complètement avant de le décorer ou de le réserver. Avant de mettre le gâteau non décoré dans un récipient hermétique, enveloppez-le de papier sulfurisé et de papier d'aluminium. Pour le congeler, mettez le gâteau enveloppé dans un sac à congélation, faites le vide, fermez, étiquetez et datez. Laissez décongeler, toujours enveloppé, dans un endroit frais. Conservez les gâteaux fourrés à la crème ou au chocolat dans une boîte en plastique hermétique, au réfrigérateur. Conservez les autres gâteaux fourrés dans un endroit frais.

pâtes

Réussir la pâte feuilletée ou filo demande à la fois du temps et du talent, les recettes de ce livre utilisent donc des pâtes prêtes à l'emploi. Vous pouvez également acheter de la pâte brisée ou sablée de bonne qualité, très utile quand vous manquez de temps. Toutefois, elles ne sont pas difficiles à faire et vous trouverez quelques recettes de base sur la page ci-contre.

Lorsque vous préparez une pâte, veillez à ce que tous les ingrédients soient aussi frais que possible et évitez de les manipuler plus que nécessaire. C'est pourquoi, une pâte faite au robot de cuisine est particulièrement réussie. Suivez alors les instructions du fabriquant. Pour confectionner une pâte complète, remplacez la moitié de la farine ordinaire par de la farine complète.

recettes de base

pâte brisée

pour : un moule à tarte de 15 cm
de diamètre
temps de préparation : 10 minutes,
plus 30 minutes de réfrigération

115 g de farine
25 g de beurre
25 g de graisse végétale
2 cuil. à soupe d'eau froide

1 Tamiser la farine dans une jatte,
couper le beurre et la graisse en dés
et incorporer à la farine avec les doigts,
de façon à obtenir une consistance de fine
chapelure. Ce processus doit être fait
le plus rapidement et le plus délicatement
possible.

2 Incorporer presque toute l'eau
à l'aide d'une spatule. La totalité
du liquide ne sera peut-être pas nécessaire,
cela dépend de la qualité d'absorption
de la farine. Dans d'autres cas, au contraire,
il faudra en ajouter. Façonner une boule
et pétrir brièvement. Si la pâte est collante,
la saupoudrer de farine. Envelopper la pâte
de film alimentaire et laisser refroidir
30 minutes environ au réfrigérateur.

pâte brisée sucrée

pour : un moule à tarte de 20 cm
de diamètre
temps de préparation : 10 minutes,
plus 30 minutes de réfrigération

225 g de farine
115 g de beurre
15 g de graisse végétale
55 g de sucre roux en poudre
6 cuil. à soupe de lait froid

Procéder de la même façon que pour
la pâte brisée, et incorporer le
sucre après avoir incorporé le beurre
à la farine et en remplaçant l'eau
par le lait.

pâte sablée

pour : un moule à tarte de 20 cm
de diamètre
temps de préparation : 10 minutes,
plus 30 minutes de réfrigération

225 g de farine
115 g de beurre froid, coupé en dés
55 g de sucre roux en poudre
1 jaune d'œuf
1 cuil. à café d'extrait de vanille
un peu d'eau

Procéder de la même façon que pour
la pâte brisée, et incorporer le sucre
après avoir incorporé le beurre à la farine.
Incorporer le jaune d'œuf et l'extrait
de vanille, un peu d'eau si nécessaire,
pour obtenir une pâte homogène.

abaisser la pâte : saupoudrer le plan
et le rouleau à pâtisserie d'un peu de farine
et abaisser la pâte, en allant toujours
dans la même direction, en éloignant
le rouleau de soi, et en appliquant
une pression égale. Tourner de temps
en temps la pâte d'un quart de tour, dans le
sens contraire des aiguilles d'une montre.
Ne pas déchirer ou étirer la pâte.

pour foncer un moule à tarte : abaisser
la pâte en un rond plus large de 5 cm
que le moule. Soulever la pâte à l'aide
du rouleau et la dérouler au-dessus
du moule. Soulever les bords de la pâte
pour qu'ils retombent dans le moule.
Appuyer délicatement, sans étirer, contre
les parois du moule. Retourner la pâte
en excès sur l'extérieur du moule et passer
le rouleau sur le moule pour découper
le surplus. Si possible, mettre 30 minutes au
réfrigérateur.

cuire à blanc : piquer légèrement le fond
de tarte refroidi, disposer une grande feuille
de papier sulfurisé ou d'aluminium et
recouvrir de grenaille en porcelaine ou de
légumes secs. Cuire au four préchauffé,
à 200 °C (th. 6-7), 10 à 15 minutes, jusqu'à
ce que la pâte soit prise, retirer
délicatement le papier et les haricots
et remettre 5 à 10 minutes au four, jusqu'à
ce que la pâte soit ferme au toucher
et légèrement dorée.

biscuits

Il est toujours utile d'avoir chez soi une boîte de biscuits faits maison. Ils feront le régal de visiteurs imprévus, ils réjouiront vos enfants affamés à la sortie de l'école et se glisseront dans les cartables, ou accompagneront tout simplement à merveille un thé ou un café.

Inutile d'être un cuisinier émérite pour réussir des biscuits. Très simples à préparer, ils requièrent un minimum de matériel et ont un coût bien inférieur à ceux que l'on trouve dans le commerce. Enfin, ils sont tout simplement meilleurs !

Vous trouverez dans ce chapitre de nombreuses recettes, toutes plus délicieuses les unes que les autres, des biscuits croquants, comme les cookies aux flocons d'avoine et aux noix de pécan (page 24) ou les cookies aux deux chocolats (page 32), aux biscuits légers et délicats comme les biscuits à la lavande (page 37) ou les tuiles aux pistaches et à la cardamome (page 29), accompagnement idéal des glaces. Les enfants s'amuseront à confectionner (et à croquer !) les bonshommes de pain d'épice (page 16) ou les cookies multicolores (page 22). Vous trouverez également des spécialités comme les biscotti aux amandes (page 28), parfaits avec un café à la fin du repas. Outre les biscuits sucrés, nous vous proposons des biscuits salés comme les biscuits cocktail épicés (page 42) et les palmiers au pistou (page 46), pour accompagner vos apéritifs.

bonshommes de pain d'épice

pour 20 bonshommes

préparation : 30 min, ◔
refroidissement : 30 min

cuisson : 15 à 20 min ◔

Voici un favori des enfants, qui adorent découper ces bonshommes
en pain d'épice. La pâte est malléable et facile à manipuler.

INGRÉDIENTS

115 g de beurre, un peu plus
pour graisser

450 g de farine, un peu plus
pour abaisser la pâte

2 cuil. à café de gingembre en poudre

1 cuil. à café de mélange d'épices

2 cuil. à café de bicarbonate de soude

100 g de sirop de sucre de canne

115 g de sucre roux en poudre

1 œuf, battu

DÉCORATION

raisins de Corinthe

cerises confites

85 g de sucre glace

3 à 4 cuil. à café d'eau

VALEURS NUTRITIONNELLES

Calories 71

Protéines . . . . .1 g

Glucides . . . . .19 g

Lipides . . . . .2 g

Acides gras saturés . . . . . . .1 g

variante

Rien ne vous empêche de donner
toute autre forme à cette pâte.
Laissez libre cours à votre imagination
et à celle de vos enfants !

conseil

À Noël, découpez la pâte
en forme d'étoile ou de sapin.
À la sortie du four, percez
un trou dans chacun des biscuits
à l'aide d'une brochette
et enfilez-y des rubans pour
les accrocher au sapin.

1 Préchauffer le four
à 160 °C (th. 5-6)
et graisser 3 plaques de four.
Dans une jatte, tamiser la farine,
le gingembre, les épices
et le bicarbonate de soude.
Dans une casserole, mettre
le beurre, le sirop de sucre
de canne et le sucre, chauffer
à feu doux sans cesser
de remuer jusqu'à ce que

le tout ait fondu et incorporer
à la préparation précédente.
Ajouter l'œuf, mélanger jusqu'à
obtention d'une pâte et laisser
refroidir de façon à ce que
la pâte soit plus ferme.

2 Sur un plan fariné,
abaisser la pâte de sorte
qu'elle ait 3 mm d'épaisseur,
découper des formes à l'aide

d'un emporte-pièce et disposer
sur les plaques de four. Répéter
l'opération avec la pâte restante,
façonner des yeux en raisins et
des bouches en cerises, et cuire
au four préchauffé 15 à
20 minutes, jusqu'à ce que la
pâte soit ferme et dorée.

3 Sortir du four, laisser
tiédir et transférer sur

une grille. Délayer le sucre glace
dans l'eau de façon à obtenir
un glaçage, transférer dans
un sachet en plastique et percer
un trou à un angle. Presser
le sac en dessinant des boutons
ou des habits sur les biscuits
en pain d'épice.

biscuits aux épices

pour 12 biscuits

préparation : 15 min, **refroidissement : 20 min**

cuisson : 12 min

Ces petits biscuits épicés se marient à la perfection avec une salade de fruits ou de la glace, pour un délicieux dessert improvisé.

INGRÉDIENTS

175 g de beurre

175 g de sucre roux en poudre

1 cuil. à café de cannelle en poudre

1 pincée de sel

225 g de farine

½ cuil. à café de bicarbonate de soude

¼ de cuil. à café de clous de girofle en poudre

½ cuil. à café de coriandre en poudre

½ cuil. à soupe de noix muscade en poudre

2 cuil. à soupe de rhum ambré

VALEURS NUTRITIONNELLES

Calories	117
Protéines	. . . . .1 g
Glucides	. . . . .23 g
Lipides	. . . . .6 g
Acides gras saturés	. . . . . . .4 g

conseil

Aplatissez légèrement les biscuits avec le dos d'une fourchette avant la cuisson. Après la cuisson, transférez-les sur la grille délicatement pour éviter qu'ils ne s'émiettent.

1 Préchauffer le four à 180 °C (th. 6) et beurrer 2 plaques de four. Dans une jatte, battre le beurre en crème avec le sucre jusqu'à ce que le mélange blanchisse.

2 Tamiser la cannelle, le sel, la farine, le bicarbonate de soude, le clous de girofle, la coriandre et la noix muscade en poudre dans la préparation précédente, incorporer et ajouter le rhum.

3 À l'aide de deux petites cuillères, répartir des noix de préparation sur les plaques de four en les espaçant de 7 cm de sorte que les biscuits puissent s'étendre à la cuisson et aplatir légèrement à l'aide d'une fourchette.

4 Cuire au four préchauffé 10 à 12 minutes, jusqu'à ce que les biscuits soient dorés, sortir du four et transférer sur une grille. Laisser refroidir de sorte qu'ils soient croustillants.

petites galettes salées au curry

cuisson : 15 min

préparation : 15 min, refroidissement : 20 min

pour 40 biscuits

Pour la confection de ces biscuits, essayez des currys plus ou moins forts jusqu'à ce que vous trouviez celui qui vous correspond.

VALEURS NUTRITIONNELLES	
Calories 48	
Protéines . . . . .2 g	
Glucides . . . . .2 g	
Lipides . . . . .12 g	
Acides gras saturés . . . . . . .2 g	

INGRÉDIENTS

100 g de beurre, en pommade, un peu plus pour graisser

100 g de farine, un peu plus pour abaisser la pâte

1 cuil. à café de sel

2 cuil. à café de poudre de curry

100 g d'emmental, râpé

100 g de parmesan, fraîchement râpé

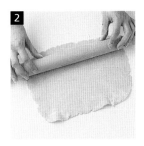

conseil

Assurez-vous que ces biscuits aient complètement refroidi et soient bien croustillants avant de les stocker quelques jours dans une boîte hermétique en plastique ou en métal.

1 Préchauffer le four à 180 °C (th. 6) et beurrer 4 plaques de four. Dans une jatte, tamiser la farine et le sel, ajouter la poudre de curry et le fromage, et incorporer le beurre avec les doigts de façon à obtenir une pâte homogène.

2 Sur un plan fariné, abaisser la pâte en rectangle, découper 40 biscuits à l'aide d'un emporte-pièce et disposer sur les plaques de four.

3 Cuire au four préchauffé 10 à 15 minutes, sortir du four et laisser tiédir. Transférer sur une grille, laisser refroidir de sorte qu'ils soient croustillants et servir.

éventails sablés au beurre

pour 8 sablés

préparation : 10 min,
refroidissement : 30 min

cuisson : 15 min

Ces élégants biscuits conviendront parfaitement à l'heure du thé ou agrémenteront à merveille de la glace en dessert.

INGRÉDIENTS

125 g de beurre, en pommade, un peu plus pour graisser

40 g de sucre cristallisé, un peu plus pour saupoudrer

25 g de sucre glace

225 g de farine, un peu plus pour abaisser la pâte

1 pincée de sel

2 cuil. à café d'eau de fleur d'oranger

VALEURS NUTRITIONNELLES

Calories 248

Protéines . . . . .3 g

Glucides . . . . .42 g

Lipides . . . . .13 g

Acides gras saturés . . . . . . .9 g

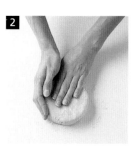

conseil

Pour plus de croustillant, parsemez la pâte d'un mélange de fruits à écale concassés avant la cuisson.

1 Préchauffer le four à 160 °C (th. 5-6) et beurrer un moule de 20 cm de diamètre. Dans une jatte, battre le beurre en crème avec le sucre cristallisé et le sucre glace jusqu'à ce que le mélange blanchisse, tamiser la farine et le sel dans la jatte et incorporer l'eau de fleur d'oranger de façon à obtenir une pâte souple.

2 Sur un plan fariné, abaisser la pâte en un rond de 20 cm de diamètre, placer dans le moule et rainurer le pourtour à l'aide d'une fourchette. Dessiner 8 parts à l'aide d'un couteau.

3 Cuire au four préchauffé 30 à 35 minutes, jusqu'à ce que le sablé soit légèrement doré et croustillant.

4 Saupoudrer de sucre cristallisé, découper les parts dessinées et laisser refroidir. Démouler et conserver dans une boîte hermétique.

petits cœurs à la vanille

cuisson : 20 min

préparation : 10 min, refroidissement : 30 min

pour 12 cœurs

Ces petits sablés traditionnels fondent dans la bouche.
Ils sont ici confectionnés en forme de cœur.

VALEURS NUTRITIONNELLES	
Calories	150
Protéines	1 g
Glucides	29 g
Lipides	8 g
Acides gras saturés	5 g

INGRÉDIENTS

150 g de beurre, coupé en dés,
en peu plus pour graisser

225 g de farine, un peu plus
pour abaisser la pâte

125 g de sucre en poudre, un peu plus
pour saupoudrer

1 cuil. à café d'extrait de vanille

conseil

Pour donner un délicieux goût de vanille au sucre en poudre, laissez une gousse de vanille fraîche avec le sucre dans un bocal plusieurs semaines.

1 Préchauffer le four à 180 °C (th. 6) et beurrer une plaque de four. Dans une jatte, tamiser la farine, incorporer le beurre avec les doigts de façon à obtenir une consistance de chapelure et ajouter le sucre et l'extrait de vanille de façon à obtenir une pâte ferme.

2 Sur un plan fariné, abaisser la pâte de sorte qu'elle ait 2,5 cm d'épaisseur, découper 12 biscuits de 5 cm de longueur et 2,5 cm de largeur à l'aide d'un emporte-pièce en forme de cœur et disposer sur la plaque de four.

3 Cuire au four préchauffé 15 à 20 minutes, jusqu'à ce que les cœurs soient dorés, sortir du four et transférer sur une grille. Laisser refroidir complètement, saupoudrer de sucre et servir.

cookies multicolores

pour 16 cookies

**préparation : 10 min,
refroidissement : 20 min**

cuisson : 10 à 12 min

*Ces cookies multicolores font un goûter idéal
pour les enfants.*

INGRÉDIENTS

**115 g de beurre, en pommade,
un peu plus pour graisser
115 g de sucre roux en poudre
1 cuil. à soupe de sirop de sucre
de canne
½ cuil. à café d'extrait de vanille
175 g de farine levante
85 g de chocolats enrobés
de toutes les couleurs (type Smarties)**

VALEURS NUTRITIONNELLES

Calories 146

Protéines . . . . .1 g

Glucides . . . . .33 g

Lipides . . . . .7 g

Acides gras saturés . . . . . . .4 g

conseil

Pour obtenir une version
un peu moins sucrée
de ces cookies, remplacez
les chocolats enrobés par
des pépites de chocolat,
des cerises ou des abricots
secs hachés.

1 Préchauffer le four
à 180 °C (th. 6)
et beurrer 2 plaques de four.
Dans une jatte, battre le beurre
en crème avec le sucre à l'aide
d'un batteur électrique jusqu'à
ce que le mélange blanchisse
et ajouter le sirop de sucre
de canne et l'extrait de vanille
sans cesser de battre.

2 Tamiser la moitié
de la farine dans la jatte,
incorporer à la préparation
précédente avec le chocolat
et la farine restante, et travailler
la pâte avec les doigts.

3 Façonner 16 boules
de pâte, disposer
sur les plaques de four sans

les aplatir, en les espaçant
bien de sorte que les cookies
puissent s'étendre à la cuisson,
et cuire au four préchauffé,
10 à 12 minutes, jusqu'à
ce que les bords soient dorés.
Sortir du four, laisser tiédir
2 minutes et transférer sur
une grille. Laisser refroidir
complètement et servir.

flapjacks

cuisson : 20 à 25 min

**préparation : 10 min,
refroidissement : 30 min**

pour 16 flapjacks

*Ces croquants sont vraiment très faciles et rapides à préparer.
Laissez vos enfants les emporter à l'école.*

VALEURS NUTRITIONNELLES	
Calories	189
Protéines	. . . . .3 g
Glucides	. . . . .28 g
Lipides	. . . . .12 g
Acides gras saturés	. . . . . . .4 g

INGRÉDIENTS

**115 g de beurre, un peu plus
pour graisser**

200 g de flocons d'avoine

115 g de noisettes, concassées

55 g de farine

**2 cuil. à soupe de sirop de sucre
de canne**

85 g de sucre roux en poudre

conseil

Veillez à ne pas trop faire
cuire la préparation, sinon
elle durcira et sera difficile
à couper, au lieu d'être
délicieusement tendre.

1 Préchauffer le four
à 180 °C (th. 6)
et beurrer un plat allant
au four ou un moule carré
de 23 cm. Dans une jatte,
mettre les flocons d'avoine,
les noisettes concassées
et la farine, et mélanger.

2 Dans une casserole,
mettre le beurre, le sirop
de sucre de canne et le sucre,
chauffer à feu doux sans cesser
de remuer jusqu'à ce que
le tout ait fondu et incorporer
à la préparation précédente.
Garnir le plat et lisser la surface.

3 Cuire au four préchauffé
20 à 25 minutes,
jusqu'à ce que le gâteau soit
doré et ferme, prédécouper
16 morceaux et laisser refroidir
complètement dans le plat.
Découper les morceaux
et retirer du plat.

cookies croquants aux flocons d'avoine

pour 15 cookies

préparation : 10 min,
refroidissement : 20 min

cuisson : 15 min

Ces biscuits légers et croustillants sont délicieux tels quels mais goûtez-les avec du fromage, vous ne serez pas déçus !

INGRÉDIENTS

115 g de beurre, en pommade, un peu plus pour graisser

85 g de sucre roux poudre

1 œuf, battu

55 g de noix de pécan, concassées

85 g de farine

½ cuil. à café de levure chimique

55 g de flocons d'avoine

VALEURS NUTRITIONNELLES

Calories 143

Protéines . . . . .2 g

Glucides . . . . .19 g

Lipides . . . . .10 g

Acides gras saturés . . . . . . .5 g

---

variante

Pour un goût légèrement différent, remplacez les noix de pécan par d'autres types de fruits à écale comme les noix ou les noisettes.

conseil

Pour vous épargner du travail, battez le beurre en crème avec le sucre à l'aide d'un batteur électrique ou encore dans un robot de cuisine.

1 Préchauffer le four à 180 °C (th. 6) et beurrer 2 plaques de four. Dans une jatte, battre le beurre en crème avec le sucre jusqu'à ce que le mélange blanchisse et incorporer progressivement l'œuf et les noix de pécan.

2 Tamiser la farine et la levure dans la jatte, ajouter les flocons d'avoine et mélanger jusqu'à obtention d'une consistance homogène. Répartir des cuillerées de préparation sur les plaques en les espaçant de sorte que les cookies puissent s'étendre à la cuisson.

3 Cuire au four préchauffé 15 minutes, jusqu'à ce que les biscuits soient dorés, laisser tiédir 2 minutes et laisser refroidir sur une grille.

sablés nappés au gingembre

pour 16 sablés

préparation : 15 min,
refroidissement : 30 min

cuisson : 40 min

Les sablés sont des gourmandises toujours appréciées mais nappés de gingembre, ils deviennent un vrai délice.

INGRÉDIENTS

175 g de beurre, un peu plus
pour graisser

225 g de farine

1 cuil. à café de gingembre en poudre

85 g de sucre roux poudre

NAPPAGE AU GINGEMBRE

1 cuil. à soupe de sirop de sucre de canne

55 g de beurre

2 cuil. à soupe de sucre glace

1 cuil. à café de gingembre en poudre

VALEURS NUTRITIONNELLES

Calories 185

Protéines . . . . .2 g

Glucides . . . . .27 g

Lipides . . . . .12 g

Acides gras saturés . . . . . . .8 g

variante

Décorez vos biscuits en dessinant des lignes horizontales de sucre glace fondu sur la garniture avant qu'elle prenne, et passez un cure-dent en travers.

conseil

La pâte sablée est assez molle à la sortie du four mais elle durcit en refroidissant. Il vaut mieux laisser ces biscuits refroidir complètement sur une grille avant de les servir.

1 Préchauffer le four à 180 °C (th. 6) et beurrer un moule de 23 x 18 cm. Dans une jatte, tamiser la farine et le gingembre, ajouter le sucre et incorporer le beurre avec les doigts de façon à obtenir une consistance de chapelure.

2 Garnir le moule du mélange obtenu avec les doigts, lisser la surface à l'aide d'une spatule et cuire au four préchauffé 40 minutes, jusqu'à ce que la pâte soit dorée.

3 Pour le nappage, mettre le sirop de sucre de canne et le beurre dans une casserole, chauffer sans cesser de remuer jusqu'à ce que le tout ait fondu et ajouter le sucre glace et le gingembre. Sortir la pâte du four, répartir le nappage chaud et laisser tiédir. Découper 16 bâtonnets, transférer sur une grille et laisser refroidir.

biscotti aux amandes

pour 20 à 24 biscotti

préparation : 20 min,
refroidissement : 20 min

cuisson : 25 min

Les « biscotti » sont des biscuits italiens, traditionnellement trempés dans du vin blanc sucré, le Vin Santo, en fin de repas. Vous pouvez aussi les tremper dans du café ou les servir avec de la glace.

INGRÉDIENTS

250 g de farine, un peu plus
pour abaisser la pâte
1 cuil. à café de levure chimique
1 pincée de sel
150 g de sucre roux en poudre
2 œufs, battus
zeste finement râpé d'une orange
non traitée
100 g d'amandes entières mondées,
légèrement grillées

VALEURS NUTRITIONNELLES

Calories	110
Protéines	. . . . .3 g
Glucides	. . . . .36 g
Lipides	. . . . .4 g
Acides gras saturés	. . . . . . .1 g

variante

Vous pouvez remplacer les amandes par des noisettes ou par un mélange d'amandes et de pistaches.

1 Préchauffer le four à 180 °C (th. 6) et fariner une plaque de four. Dans une jatte, tamiser la farine, la levure et le sel, ajouter le sucre, les œufs et le zeste d'orange, et mélanger jusqu'à obtention d'une pâte. Incorporer les amandes et pétrir.

2 Façonner une boule avec la pâte, couper en deux et abaisser chaque portion en un boudin de 4 cm de diamètre. Disposer sur la plaque farinée, cuire au four préchauffé 10 minutes et sortir du four. Laisser refroidir 5 minutes.

3 Découper les boudins en biais en tranches de 1 cm d'épaisseur, disposer sur la plaque et remettre au four 15 minutes, jusqu'à ce qu'elles soient dorées. Transférer sur une grille et laisser refroidir de sorte que les biscotti soient croustillants.

tuiles aux pistaches et à la cardamome

cuisson : 16 à 30 min

préparation : 15 min, refroidissement : 20 min

pour 18 tuiles

Ces biscuits aux pistaches, fins et croustillants, accompagnent à merveille des desserts aux fruits ou de la glace.

VALEURS NUTRITIONNELLES

Calories 69

Protéines . . . . .1 g

Glucides . . . . .17 g

Lipides . . . . .3 g

Acides gras saturés . . . . . . .2 g

INGRÉDIENTS

6 gousses de cardamome

55 g de beurre, fondu et refroidi, un peu plus pour graisser

2 blancs d'œufs

115 g de sucre roux en poudre

55 g de farine

25 g de pistaches, concassées

conseil

N'essayez pas de cuire plus d'une plaque de biscuits à la fois, sinon la deuxième fournée deviendra trop ferme avant que vous ayez eu le temps de la façonner.

1 Préchauffer le four à 180 °C (th. 6) et beurrer 2 ou 3 plaques de four et un rouleau à pâtisserie. Écraser et écosser les gousses de cardamome, piler les graines dans un mortier et réserver. Dans une jatte, mettre les blancs d'œufs et le sucre, et battre à l'aide d'une fourchette jusqu'à ce que le mélange blanchisse.

2 Tamiser la farine dans la jatte, ajouter les pistaches et la cardamome pilée, et mélanger à l'aide d'une fourchette. Incorporer le beurre, disposer des cuillerées à café de préparation sur les plaques en les espaçant bien de sorte que les tuiles puissent s'étendre à la cuisson, et appuyer légèrement à l'aide d'une spatule.

3 Cuire au four préchauffé 8 à 10 minutes, une plaque à la fois, jusqu'à ce que les bords soient fermes, soulever délicatement à l'aide d'une spatule et disposer immédiatement sur le rouleau à pâtisserie. Laisser prendre 1 à 2 minutes, transférer sur une grille et laisser refroidir complètement. Conserver dans un récipient hermétique.

petits pavés aux noisettes

pour 16 pavés

préparation : 15 min,
refroidissement : 20 min

cuisson : 25 min

Voici des gourmandises à préparer en un tour de main pour un goûter improvisé. Utilisez les fruits à écales de votre choix.

INGRÉDIENTS

100 g de beurre, coupé en dés,
un peu plus pour graisser
150 g de farine
1 pincée de sel
1 cuil. à café de levure chimique
150 g de sucre roux en poudre,
un peu plus pour saupoudrer
(facultatif)
1 œuf, battu
4 cuil. à soupe de lait
100 g de noisettes, coupées en deux

VALEURS NUTRITIONNELLES

Calories	163
Protéines	. . . . .2 g
Glucides	. . . . .28 g
Lipides	. . . . .10 g
Acides gras saturés	. . . . . . .4 g

variante

Si vous voulez servir ces pavés avec le café, vous pouvez remplacer le lait par du café serré froid. Plus c'est fort, mieux c'est !

1 Préchauffer le four à 180 °C (th. 6), beurrer un moule carré de 23 cm et chemiser de papier sulfurisé. Dans une jatte, tamiser la farine, le sel et la levure, incorporer le beurre avec les doigts de façon à obtenir une consistance de chapelure fine, ajouter le sucre roux et remuer.

2 Incorporer l'œuf, le lait et les noisettes de façon à obtenir une consistance lisse.

3 Garnir le moule de la préparation obtenue, lisser la surface et saupoudrer de sucre roux. Cuire au four préchauffé 25 minutes, jusqu'à ce que le gâteau soit ferme

au toucher. Laisser tiédir 10 minutes, décoller les bords à l'aide d'un couteau à bout rond et transférer sur une grille. Laisser refroidir, découper en bouchées et servir chaud ou froid.

pavés moelleux aux graines de tournesol

🕙 **cuisson : 45 min**

🕙 **préparation : 10 min,
refroidissement : 1 heure**

pour 12 pavés

*Ces délicieux petits pavés à la saveur délicatement épicée
répandent une odeur merveilleuse à la cuisson.*

VALEURS NUTRITIONNELLES	
Calories 397	
Protéines . . . . .6 g	
Glucides . . . . .63 g	
Lipides . . . . .25 g	
Acides gras saturés . . . . . .14 g	

INGRÉDIENTS

250 g de beurre, en pommade,

un peu plus pour graisser

250 g de sucre en poudre

3 œufs, battus

250 g de farine levante

½ cuil. à café de bicarbonate de soude

1 cuil. à soupe de cannelle en poudre

150 ml de crème aigre

100 g de graines de tournesol

conseil

Ces pavés se congèlent très
bien et se conservent un mois
dans un récipient hermétique.
Si vous les congelez, prenez
soin de bien les décongeler
avant de les déguster.

1 Préchauffer le four
à 180 °C (th. 6), beurrer
un moule carré de 23 cm
et chemiser de papier sulfurisé.
Dans une jatte, battre le beurre
en crème avec le sucre jusqu'à
ce que le mélange blanchisse
et ajouter progressivement
les œufs en battant bien après
chaque ajout.

2 Tamiser la farine,
le bicarbonate de soude
et la cannelle dans la jatte,
incorporer délicatement à l'aide
d'une cuillère en métal et ajouter
progressivement la crème aigre
et les graines de tournesol.

3 Garnir le moule de
la préparation obtenue,

lisser la surface et cuire au four
préchauffé 45 minutes, jusqu'à
ce que le gâteau soit ferme au
toucher.

4 Décoller les bords à l'aide
d'un couteau à bout
rond, démouler et transférer
sur une grille. Laisser refroidir,
couper en 12 pavés et servir.

cookies aux deux chocolats

pour 24 cookies

préparation : 15 min,
refroidissement : 20 min

cuisson : 10 à 15 min

Ces biscuits aux deux chocolats qui fondent dans la bouche
vont égayer vos goûters et ne resteront pas longtemps
dans la boîte à biscuits !

INGRÉDIENTS

115 g de beurre, en pommade,
un peu plus pour graisser

55 g de sucre roux cristallisé

55 g de sucre roux en poudre

1 œuf, battu

½ cuil. à café d'extrait de vanille

115 g de farine

2 cuil. à soupe de cacao en poudre

½ cuil. à café de bicarbonate de soude

115 g de pépites de chocolat au lait

55 g de noix, concassées

VALEURS NUTRITIONNELLES

Calories 116

Protéines . . . . .2 g

Glucides . . . . .20 g

Lipides . . . . .7 g

Acides gras saturés . . . . . . .4 g

variante

Vous pouvez utiliser des pépites
de chocolat noir à la place de pépites
au lait, ou remplacer les noix par
des noix de pécan concassées.

conseil

Plus le temps de cuisson
est court, plus les cookies
sont mous et moelleux
au cœur. Plus il est long,
plus ils sont croustillants.

1 Préchauffer le four
à 180 °C (th. 6)
et beurrer 3 plaques de four.
Dans une jatte, battre le beurre
en crème avec le sucre roux
et le sucre cristallisé jusqu'à
ce que le mélange blanchisse
et incorporer progressivement
l'œuf et l'extrait de vanille.

2 Tamiser le bicarbonate
de soude, la farine et
le cacao dans la jatte, mélanger
délicatement et incorporer le
chocolat et les noix. Disposer des
cuillerées à soupe de préparation
sur les plaques en les espaçant
bien de sorte que les cookies
puissent s'étendre à la cuisson.

3 Cuire au four préchauffé
10 à 15 minutes, jusqu'à
ce que les cookies aient levé
et commencé à durcir, sortir du
four et laisser tiédir 2 minutes.
Transférer sur une grille, laisser
refroidir complètement et servir.

biscuits de Pâques

pour 24 biscuits

préparation : 20 min,
refroidissement : 20 min

cuisson : 10 à 15 min

En dépit de leur nom, n'hésitez pas à déguster ces biscuits toute l'année ! Les zestes et les raisins secs leur donnent une saveur fruitée et épicée. Saupoudrez-les de sucre pour une présentation réussie.

INGRÉDIENTS

175 g de beurre, en pommade, un peu plus pour graisser

175 g de sucre roux en poudre

1 œuf, battu

2 cuil. à soupe de lait

55 g de mélange de zestes confits, hachés

115 g de raisins de Corinthe

350 g de farine, un peu plus pour abaisser la pâte

1 cuil. à café de mélange d'épices

GLAÇAGE

1 blanc d'œuf, légèrement battu

2 cuil. à soupe de sucre roux en poudre en poudre

VALEURS NUTRITIONNELLES

Calories	159
Protéines	. . . . .2 g
Glucides	. . . . .39 g
Lipides	. . . . .7 g
Acides gras saturés	. . . . . .4 g

variante

Si vous n'aimez pas les zestes, remplacez-les par 55 g de raisins de Corinthe supplémentaires.

conseil

Faites attention lorsque vous saupoudrez de sucre : s'il en tombe sur la plaque de cuisson, il caramélisera puis brûlera très vite.

1 Préchauffer le four à 180 °C (th. 6) et beurrer 2 plaques de four. Dans une jatte, battre le beurre en crème avec le sucre jusqu'à ce que le mélange blanchisse, incorporer progressivement l'œuf, le lait, les zestes confits et les raisins secs, et tamiser la farine et les épices. Mélanger jusqu'à obtention d'une pâte ferme et pétrir légèrement de façon à obtenir une pâte homogène.

2 Sur un plan fariné, abaisser la pâte de sorte qu'elle ait 5 mm d'épaisseur, découper des ronds à l'aide d'un emporte-pièce de 5 cm de diamètre et répéter l'opération avec la pâte restante. Répartir sur les plaques et cuire au four préchauffé 10 minutes.

3 Sortir du four, enduire de blanc d'œuf et saupoudrer de sucre. Cuire encore 5 minutes, jusqu'à ce que les biscuits soient dorés, laisser tiédir 2 minutes et transférer sur une grille. Laisser refroidir complètement et servir.

pastelitos mexicains

pour 40 pastelitos

**préparation : 20 min,
refroidissement : 20 min**

cuisson : 30 à 40 min

Ces petits biscuits à la mode sud-américaine fondent dans la bouche. Au Mexique, on les sert lors des mariages, nappés de sucre glace pour rappeler le blanc de la robe de la mariée.

INGRÉDIENTS

225 g de beurre, en pommade,
un peu plus pour graisser
55 g de sucre roux en poudre
225 g de farine
115 g de maïzena
1 cuil. à café de cannelle en poudre
55 g de sucre glace,
pour décorer

VALEURS NUTRITIONNELLES

Calories 82

Protéines . . . . .1 g

Glucides . . . . .13 g

Lipides . . . . .5 g

Acides gras saturés . . . . . . .3 g

conseil

Ces biscuits sont traditionnellement petits, mais vous pouvez les façonner plus gros, si vous préférez.

1 Préchauffer le four à 160 °C (th. 5-6) et beurrer 2 plaques de four. Dans une jatte, battre le beurre en crème avec le sucre jusqu'à ce que le mélange blanchisse, tamiser la maïzena, la cannelle et la farine dans une autre jatte et incorporer progressivement à la préparation précédente

à l'aide d'une cuillère en bois. Pétrir jusqu'à obtention d'une consistance homogène.

2 Façonner une boule avec 1 cuillerée à café de pâte, répéter l'opération avec la pâte restante et disposer sur les plaques. Cuire au four préchauffé 30 à 40 minutes,

jusqu'à ce qu'elles soient légèrement dorées.

3 Tamiser le sucre glace dans un plat peu profond, passer les pastelitos chauds dans le sucre et laisser refroidir complètement sur une grille.

biscuits à la lavande

cuisson : 12 min

préparation : 15 min, refroidissement : 20 min

pour 12 biscuits

À l'heure du thé, proposez à vos convives ces biscuits originaux à la saveur étonnante. Ils seront surpris et ravis, car la lavande est un régal pour les yeux comme pour les papilles !

VALEURS NUTRITIONNELLES	
Calories	141
Protéines	. . . . .2 g
Glucides	. . . . .23 g
Lipides	. . . . .8 g
Acides gras saturés	. . . . . . .5 g

INGRÉDIENTS

115 g de beurre, en pommade,
un peu plus pour graisser
55 g de sucre roux en poudre,
un peu plus pour saupoudrer
1 cuil. à café de feuilles de lavande
zeste finement râpé d'un citron
175 g de farine

conseil

Si vous n'avez pas de robot de cuisine, vous pouvez mélanger la pâte à la main. Pétrissez-la jusqu'à obtention d'une boule et abaissez-la à l'étape 2.

1 Préchauffer le four à 150 °C (th. 5) et beurrer une plaque de four. Dans un robot de cuisine, hacher finement la lavande et le sucre, ajouter le beurre et le zeste de citron, et mélanger jusqu'à ce que le mélange blanchisse. Transférer dans une jatte, tamiser la farine et incorporer de façon à obtenir une pâte ferme.

2 Disposer la pâte sur une feuille de papier sulfurisé, recouvrir d'une autre feuille et abaisser délicatement la pâte à l'aide d'un rouleau à pâtisserie de sorte qu'elle ait 3 à 5 mm d'épaisseur. Retirer la feuille supérieure, découper des ronds à l'aide d'un emporte-pièce de 7 cm et répéter l'opération avec la pâte restante.

3 À l'aide d'une spatule, disposer délicatement les biscuits sur la plaque de four, les piquer à l'aide d'une fourchette et cuire au four préchauffé 12 minutes, jusqu'à ce qu'ils soient dorés. Sortir du four, laisser tiédir 2 minutes et transférer sur une grille. Laisser refroidir complètement et servir.

biscuits à l'avoine et aux raisins secs

pour 10 biscuits

préparation : 20 min, 🕐
refroidissement : 30 min

cuisson : 15 min 🕐

Ces délicieux biscuits ne pourraient être plus simples à préparer !
Ils seront les bienvenus avec une tasse de thé bien chaud.

INGRÉDIENTS

50 g de beurre, un peu plus
pour graisser
125 g de sucre en poudre
1 œuf, battu
50 g de farine
½ cuil. à café de sel
½ cuil. à café de levure chimique
175 g de flocons d'avoine
125 g de raisins secs
2 cuil. à soupe de graines de sésame

VALEURS NUTRITIONNELLES

Calories 227

Protéines . . . . .4 g

Glucides . . . . .61 g

Lipides . . . . .7 g

Acides gras saturés . . . . . . .3 g

conseil

Pour profiter de la saveur de ces biscuits, conservez-les dans une boîte hermétique. Veillez à ce que les biscuits soient totalement froids avant de les stocker.

1 Préchauffer le four à 180 °C (th. 6) et beurrer 2 plaques de four. Dans une jatte, battre le beurre en crème avec le sucre jusqu'à ce que le mélange blanchisse, ajouter l'œuf progressivement en battant bien après chaque ajout et tamiser la farine, le sel et la levure dans la jatte. Incorporer les flocons d'avoine,

les raisins secs et les graines de sésame.

2 Disposer des cuillerées de préparation sur les plaques beurrées, en les espaçant bien de sorte que les biscuits puissent s'étendre à la cuisson, et aplatir légèrement avec le dos de la cuillère.

3 Cuire au four préchauffé 15 minutes, sortir du four et laisser tiédir. Transférer sur une grille, laisser refroidir complètement et servir.

flapjacks à la noix de coco

⏱ **cuisson : 30 min**

🕐 **préparation : 15 min,
refroidissement : 30 min**

pour 16 flapjacks

*À la sortie du four, ces flapjacks très moelleux seront très appréciés
par les enfants après l'école ou par vos amis à l'heure du thé.*

VALEURS NUTRITIONNELLES	
Calories 269	
Protéines . . . . .3 g	
Glucides . . . . .51 g	
Lipides . . . . .16 g	
Acides gras saturés . . . . . .10 g	

INGRÉDIENTS

200 g de beurre, un peu plus
pour graisser

200 g de sucre roux en poudre

2 cuil. à soupe de sirop de sucre
de canne

275 g de flocons d'avoine

100 g de noix de coco déshydratée,
râpée

75 g de cerises confites, hachées

conseil

Ces flapjacks peuvent
se conserver dans un récipient
hermétique et se déguster
dans la semaine. Ils se conservent
également au congélateur
pendant un mois.

1 Préchauffer le four à
160 °C (th. 5-6) et
beurrer légèrement une plaque
de four de 30 x 23 cm.

2 Dans une casserole,
mettre le beurre, le
sucre roux et le sirop de sucre
de canne, chauffer jusqu'à ce
que le tout ait fondu et ajouter
les flocons d'avoine, la noix de
coco déshydratée et les cerises
confites, et mélanger.

3 Répartir la préparation
obtenue sur la plaque
de four et lisser la surface
à l'aide d'une spatule.

4 Cuire au four préchauffé
30 minutes, sortir
du four et laisser tiédir
10 minutes. Découper
en 16 bouchées à l'aide
d'un couteau tranchant,
transférer sur une grille
et laisser refroidir
complètement.

cookies au beurre de cacahuètes

pour 26 cookies

**préparation : 20 min,
refroidissement : 20 min**

cuisson : 12 min

Voici des gourmandises que les enfants peuvent facilement préparer. Tous les ingrédients se mélangent dans une jatte et les cookies ne demandent pas à être découpés ou abaissés.

INGRÉDIENTS

115 g de beurre, en pommade,
un peu plus pour graisser

115 g de beurre de cacahuètes
avec des éclats de cacahuètes

115 g de sucre roux en poudre

115 g de cassonade

1 œuf, battu

½ cuil. à café d'extrait de vanille

85 g de farine

½ cuil. à café de bicarbonate de soude

½ cuil. à café de levure chimique

1 pincée de sel

115 g de flocons d'avoine

VALEURS NUTRITIONNELLES

Calories 125

Protéines . . . . .2 g

Glucides . . . . .25 g

Lipides . . . . .7 g

Acides gras saturés . . . . . . .3 g

variante

Vous pouvez utiliser du beurre de cacahuètes sans éclats de cacahuètes si vous préférez.

conseil

Lorsque vous aplatissez les cookies avec la fourchette, prenez soin de laisser l'empreinte des dents visible, de façon à donner plus de relief à vos biscuits.

1 Préchauffer le four à 180 °C (th. 6) et beurrer 3 plaques de four. Dans une jatte, mélanger le beurre de cacahuètes et le beurre, incorporer le sucre roux et la cassonade, et ajouter progressivement l'œuf et l'extrait de vanille.

2 Tamiser la farine, le sel, le bicarbonate de soude et la levure dans la jatte, incorporer les flocons d'avoine et disposer des cuillerées sur les plaques en les espaçant bien de sorte que les cookies puissent s'étendre à la cuisson. Aplatir à l'aide d'une fourchette.

3 Cuire au four préchauffé 12 minutes, jusqu'à ce que les biscuits soient dorés, sortir du four et laisser tiédir 2 minutes. Transférer sur une grille et laisser refroidir complètement.

biscuits cocktail épicés

pour 20 biscuits

préparation : 15 min,
réfrigération : 45 min

cuisson : 20 min

*Si vous cherchez une touche d'originalité pour démarrer une soirée,
n'hésitez pas, servez ces biscuits épicés avec l'apéritif !*

INGRÉDIENTS

115 g de beurre, un peu plus
pour graisser

140 g de farine, un peu plus
pour abaisser la pâte

2 cuil. à café de poudre de curry

85 g de cheddar, râpé

2 cuil. à café de graines de pavot

1 cuil. à café de graines d'oignon

1 jaune d'œuf

graines de cumin, pour parsemer

VALEURS NUTRITIONNELLES

Calories 88

Protéines . . . . .2 g

Glucides . . . . .6 g

Lipides . . . . .7 g

Acides gras saturés . . . . . . .4 g

variante

Si vous préférez, parsemez
les biscuits d'un peu de cumin
fraîchement moulu au lieu
de graines de cumin.

conseil

Mettre la pâte puis
les biscuits abaissés
au réfrigérateur contribue
à conserver la forme
des biscuits. si vous
manquez de temps, vous
pouvez omettre cette étape.

1 Préchauffer le four
à 190 °C (th. 6-7)
et graisser 2 plaques de four.
Dans une terrine, tamiser
la farine et la poudre de curry,
couper le beurre en dés
et incorporer à la préparation
avec les doigts de façon à
obtenir une consistance de
chapelure. Incorporer le fromage
et les graines de pavots
et d'oignon, ajouter le jaune

d'œuf et mélanger jusqu'à
obtention d'une pâte ferme.

2 Envelopper la pâte
de film alimentaire
et mettre au réfrigérateur
30 minutes. Sur un plan fariné,
abaisser la pâte de sorte
qu'elle ait 3 mm d'épaisseur,
découper des formes à l'aide
d'emporte-pièces et procéder
de même avec la pâte restante.

3 Disposer les biscuits sur
les plaques, parsemer
de graines de cumin et mettre
au réfrigérateur 15 minutes.
Cuire au four préchauffé
20 minutes, jusqu'à ce que
les biscuits soient légèrement
croustillants et dorés. Sortir
du four et servir chaud ou
transférer sur une grille, laisser
refroidir et servir froid.

croissants aux agrumes

pour 25 croissants

préparation : 10 min,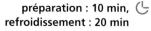
refroidissement : 20 min

cuisson : 15 min

*Si vous avez envie d'une petite douceur, goûtez ces jolis biscuits
en forme de croissant au délicieux goût de citron et d'orange.*

INGRÉDIENTS

100 g de beurre, en pommade,
un peu plus pour graisser
75 g de sucre en poudre, un peu plus
pour saupoudrer (facultatif)
1 œuf, blanc et jaune séparés
200 g de farine, un peu plus
pour abaisser la pâte
zeste râpé d'une orange
zeste râpé d'un citron
zeste râpé d'un citron vert
2 à 3 cuil. à soupe de jus d'orange

VALEURS NUTRITIONNELLES	
Calories	72
Protéines	. . . . .1 g
Glucides	. . . . .13 g
Lipides	. . . . .4 g
Acides gras saturés	. . . . . . .2 g

conseil

Vous pouvez conserver
ces biscuits une semaine
dans un récipient hermétique
ou les mettre un mois
au congélateur.

1 Préchauffer le four
à 200 °C (th. 6-7)
et beurrer 2 plaques de four.
Dans une jatte, battre le beurre
en crème avec le sucre jusqu'à
ce que le mélange blanchisse
et ajouter le jaune d'œuf
sans cesser de battre.

2 Tamiser la farine dans
la jatte, incorporer avec
les zestes d'agrumes et le jus
d'orange, et mélanger jusqu'à
obtention d'une pâte souple.

3 Sur un plan fariné,
abaisser la pâte,
découper des ronds à l'aide
d'un emporte-pièce de 7,5 cm
de diamètre et dessiner des
croissants en retirant un quart
de chaque rond. Répéter
l'opération avec les chutes de
façon à obtenir 25 croissants,
disposer sur les plaques de four
et piquer les croissants à l'aide
d'une fourchette.

4 Battre le blanc d'œuf,
enduire les biscuits
et saupoudrer de sucre. Cuire
au four préchauffé 12 à
15 minutes, sortir du four et
transférer sur une grille.
Laisser refroidir complètement
de sorte qu'ils soient croustillants
et servir.

serpentins au citron

cuisson : 20 min

**préparation : 10 min,
refroidissement : 20 min**

pour 50 serpentins

*Ces biscuits au citron fondants dans la bouche sont agrémentés
de sucre glace juste avant d'être servis.*

VALEURS NUTRITIONNELLES

Calories	50
Protéines	. . . . .1 g
Glucides	. . . . .11 g
Lipides	. . . . .2 g
Acides gras saturés	. . . . . . .1 g

INGRÉDIENTS

**100 g de beurre, en pommade,
un peu plus pour graisser**

125 g de sucre en poudre

zeste râpé d'un citron

1 œuf, battu

4 cuil. à soupe de jus de citron

**350 g de farine, un peu plus
pour abaisser la pâte**

1 cuil. à soupe de lait

1 cuil. à café de levure chimique

sucre glace, pour décorer

variante

Vous pouvez confectionner
d'autres formes,
des lettres ou des formes
géométriques.

1 Beurrer plusieurs plaques de four. Dans une jatte, battre le beurre en crème avec le sucre et le zeste de citron jusqu'à ce que le mélange blanchisse et ajouter l'œuf et le jus de citron progressivement en battant bien après chaque ajout.

2 Tamiser la farine et la levure, incorporer à la préparation précédente et ajouter le lait de façon à obtenir une pâte homogène.

3 Sur un plan fariné, abaisser la pâte et diviser en une cinquantaine de morceaux.

4 Avec les mains, façonner des petits boudins de pâte, les tordre de façon à obtenir un S et disposer sur les plaques. Cuire au four préchauffé 15 à 20 minutes, sortir du four et transférer sur une grille. Saupoudrer de sucre glace et servir.

palmiers au pistou

pour 20 palmiers

préparation : 10 min,
réfrigération : 20 min

cuisson : 10 min

*Servez ces palmiers feuilletés et légers en apéritif
ou en accompagnement d'une copieuse soupe chaude.*

INGRÉDIENTS

beurre, pour graisser

farine, pour abaisser la pâte

250 g de pâte feuilletée
prête à l'emploi

3 cuil. à soupe de pistou rouge ou vert

1 jaune d'œuf, battu avec
1 cuil. à soupe d'eau

25 g de parmesan, fraîchement râpé

VALEURS NUTRITIONNELLES	
Calories 70	
Protéines . . . . .2 g	
Glucides . . . . .5 g	
Lipides . . . . .5 g	
Acides gras saturés . . . . . . .1 g	

 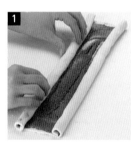 

variante

Vous pouvez remplacer
le pistou par du jambon
de Parme ou des filets
d'anchois hachés.

1 Préchauffer le four
à 200 °C (th. 6-7)
et beurrer une plaque de four.
Sur un plan fariné, abaisser
la pâte en un rectangle
de 35 x 15 cm, couper les
bords à l'aide d'un couteau
tranchant et napper de pistou.
Rouler les bords en serrant
jusqu'à ce qu'ils se rejoignent.

2 Envelopper de film
alimentaire, mettre
au réfrigérateur 20 minutes,
jusqu'à ce que la pâte soit
ferme, et sortir du réfrigérateur.
Retirer le film alimentaire,
enduire uniformément d'œuf
et couper des tranches
d'une épaisseur de 1 cm.
Disposer sur la plaque.

3 Cuire au four préchauffé
10 minutes, jusqu'à
ce que les palmiers soient
légèrement croustillants et dorés,
sortir du four et saupoudrer
immédiatement de parmesan.
Servir chaud ou transférer sur
une grille et laisser refroidir
complètement.

sablés au fromage et au romarin

cuisson : 10 min

**préparation : 15 min,
réfrigération : 30 min**

pour 40 sablés

*Puisque cette pâte se prépare dans un robot de cuisine,
ces délicieux sablés salés sont rapides à faire.*

VALEURS NUTRITIONNELLES

Calories 80

Protéines . . . . .2 g

Glucides . . . . .5 g

Lipides . . . . .6 g

Acides gras saturés . . . . . . .4 g

INGRÉDIENTS

225 g de beurre froid, coupé en dés,

un peu plus pour graisser

250 g de farine

250 g de gruyère, râpé

½ cuil. à café de poivre de Cayenne

2 cuil. à café de feuilles de romarin

fraîches, finement hachées

1 jaune d'œuf, battu avec

1 cuil. à soupe d'eau

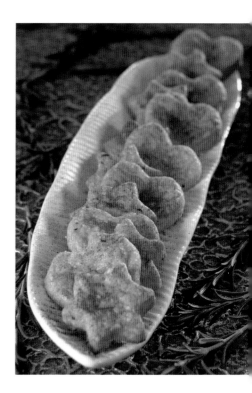

conseil

Si vous n'avez pas de robot
de cuisine, mettez les
ingrédients dans une terrine
et mélangez-les à la main.

1 Préchauffer le four
à 180 °C (th. 6)
et beurrer 2 plaques de four.
Dans un robot de cuisine,
mettre la farine, le fromage,
le beurre, le poivre de Cayenne
et le romarin, et hacher
les ingrédients par à-coups
jusqu'à obtention d'une pâte
homogène, en ajoutant un peu
d'eau si nécessaire, de façon
à ce que la pâte s'agrège.

2 Sur une plan fariné,
abaisser la pâte de sorte
qu'elle ait 5 mm d'épaisseur
et découper des formes
d'étoile ou de cœur à l'aide
d'emporte-pièces de 6 cm.

3 Disposer les sablés sur
les plaques, couvrir
de film alimentaire et mettre
au réfrigérateur 30 minutes,
jusqu'à ce qu'ils soient fermes.

Enduire de jaune d'œuf battu,
cuire au four préchauffé
10 minutes, jusqu'à ce que
les biscuits soient dorés,
et laisser tiédir 2 minutes.
Servir chaud ou transférer
sur une grille et laisser refroidir
complètement.

gressins au fromage

pour 24 gressins

préparation : 20 min,
réfrigération : 30 min

cuisson : 10 à 15 min

Ces bâtonnets au fromage croustillants ont un goût irrésistible !
Ils sont très appréciés de tous, en toutes occasions.

INGRÉDIENTS

115 g de farine, un peu plus
pour abaisser la pâte

1 pincée de sel

1 cuil. à café de poudre de curry

55 g de beurre, un peu plus
pour graisser

55 g de cheddar, râpé

1 œuf, battu

graines de pavot et de cumin,
pour parsemer

VALEURS NUTRITIONNELLES

Calories 43

Protéines . . . . .1 g

Glucides . . . . .4 g

Lipides . . . . .3 g

Acides gras saturés . . . . . . .2 g

variante

Vous pouvez utiliser la même pâte
et lui donner la forme que vous voulez.
C'est à vous de choisir !

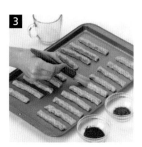

conseil

Veillez à bien mélanger
la pâte pour éviter toute
fissure, sinon les bâtonnets
risquent de se casser
pendant la cuisson.

1 Dans une terrine, tamiser la farine, le sel et la poudre de curry, incorporer le beurre avec les doigts de façon à obtenir une consistance de chapelure et ajouter le fromage et la moitié de l'œuf. Mélanger jusqu'à obtention d'une pâte, envelopper de film alimentaire et mettre au réfrigérateur 30 minutes.

2 Préchauffer le four à 200 °C (th 6-7) et beurrer plusieurs plaques de four. Sur un plan fariné, abaisser la pâte de sorte qu'elle ait 5 mm d'épaisseur, découper des bâtonnets de 7,5 x 1 cm en pinçant légèrement les bâtonnets obtenus sur les côtés et disposer sur les plaques.

3 Enduire les bâtonnets avec l'œuf restant, parsemer de la moitié des graines de pavot et des graines de cumin, et cuire au four préchauffé 10 à 15 minutes, jusqu'à ce qu'ils soient dorés. Sortir du four, transférer sur une grille et laisser refroidir complètement.

cakes et pains

En cuisine, peu de choses sont aussi gratifiantes que de faire son pain. Ce n'est pas seulement la goût particulier du pain fait maison ou l'arôme alléchant qui embaume la cuisine pendant qu'il cuit. C'est aussi la magie d'observer la pâte lever et se transformer en un beau pain doré. Faire son propre pain renoue avec la tradition, à une époque où on trouvait un boulanger dans chaque grand-rue.

Si vous croyez qu'il est difficile et long de faire son pain, les recettes de ce chapitre vous prouveront le contraire. La levure de boulanger déshydratée facilite la confection de la pâte et, même s'il faut lui laisser le temps de lever, vous pouvez faire autre chose en attendant.

Une pâte à pain de base peut servir à confectionner une pizza au pepperoni (page 54), et en lui ajoutant quelques autres ingrédients simples, vous pouvez la transformer en pain ou en petits pains salés et sucrés, tels que le pain tressé au fromage et à la ciboulette (page 57), le pain aux abricots et aux noix (page 84) ou les petits pains de Chelsea (page 82). Vous trouverez également des recettes de pains traditionnellement servis pour les repas de fête, le stollen par exemple (page 74) ou les petits pains du Vendredi Saint (page 78). Vous trouverez aussi des cakes sans levure, comme le cake aux dattes et aux noix (page 89) ou le cake aux bananes et aux pépites de chocolat (page 94), que l'on peut facilement découper et beurrer pour le servir avec le thé, et un pain irlandais (page 60) qui se prépare en un rien de temps.

petits pains à la tomate séchée

pour 8 personnes　　　**préparation : 15 min, repos** 🕒　　　**cuisson : 15 min** 🍲
　　　　　　　　　　　　　et refroidissement : 2 heures

*Ces petits pains sont délicieusement agrémentés de tomates séchées
au soleil, que l'on peut trouver dans la plupart des supermarchés.*

INGRÉDIENTS

225 g de farine, un peu plus pour pétrir

½ cuil. à café de sel

1 sachet de levure de boulanger
déshydratée

100 g de beurre, fondu et légèrement
refroidi, un peu plus pour graisser

3 cuil. à soupe de lait, tiédi

2 œufs, battus

50 g de tomates séchées au soleil,
égouttées et finement hachées

lait, pour enduire

VALEURS NUTRITIONNELLES

Calories	214
Protéines	..............5 g
Glucides	.............23 g
Lipides	..............12 g
Acides gras saturés	.......7 g

variante

Pour plus de goût,
ajoutez des anchois
et des olives finement
émincés à la pâte
à l'étape 5.

1 Préchauffer le four
à 230 °C (th. 7-8)
et beurrer une plaque de four.
Dans une jatte, tamiser la farine,
la levure et le sel, incorporer
le lait, le beurre et les œufs,
et malaxer jusqu'à obtention
d'une pâte.

2 Sur un plan fariné,
pétrir la pâte 5 minutes,
éventuellement à l'aide d'un
mixeur équipé d'un crochet
pétrisseur.

3 Placer la pâte dans une
jatte beurrée, couvrir et
laisser lever près d'une source
de chaleur 1 heure à 1 h 30,
jusqu'à ce qu'elle double
de volume. Aplatir la pâte
avec les poings, pétrir la pâte

2 à 3 minutes et incorporer
les tomates en farinant le plan
de travail régulièrement car les
tomates sont gorgées d'huile.

4 Façonner 8 boules
de pâte, disposer sur
la plaque et couvrir. Laisser
lever 30 minutes, jusqu'à ce
que les petits pains doublent
de volume.

5 Enduire de lait, cuire
au four préchauffé
10 à 15 minutes, jusqu'à ce
qu'ils soient bien dorés, et sortir
du four. Transférer sur une
grille, laisser tiédir et servir.

mini-focaccias

⏱ **cuisson : 25 min**

🕐 **préparation : 15 min, repos et refroidissement : 2 heures**

pour 4 personnes

Ces petits pains italiens sont confectionnés avec de l'huile d'olive et garnis d'oignons rouges, ce qui les rend particulièrement savoureux.

VALEURS NUTRITIONNELLES	
Calories 439	
Protéines . . . . .9 g	
Glucides . . . . .74 g	
Lipides . . . . .15 g	
Acides gras saturés . . . . . . .2 g	

INGRÉDIENTS

350 g de farine, un peu plus pour pétrir

½ cuil. à café de sel

1 sachet de levure de boulanger déshydratée

2 cuil. à soupe d'huile d'olive,
un peu plus pour graisser

250 ml d'eau, tiédie

100 g d'olives vertes ou noires,
dénoyautées et coupées en deux

GARNITURE

2 oignons rouges, émincés

2 cuil. à soupe d'huile d'olive

1 cuil. à café de gros sel

1 cuil. à soupe de feuilles de thym

variante

Vous pouvez utiliser la même quantité de pâte pour confectionner une seule focaccia.

1 Huiler une plaque de four. Dans une jatte, tamiser la farine et le sel, incorporer la levure et ajouter l'huile d'olive et l'eau tiède. Malaxer jusqu'à obtention d'une pâte.

2 Sur un plan fariné, pétrir la pâte 5 minutes, éventuellement 7 à 8 minutes à l'aide d'un mixeur équipé d'un crochet pétrisseur.

3 Placer la pâte dans une jatte beurrée, couvrir et laisser lever 1 heure à 1 h 30 près d'une source de chaleur, jusqu'à ce qu'elle double de volume. Aplatir la pâte avec les poings 1 à 2 minutes.

4 Incorporer la moitié des olives en pétrissant, diviser la pâte en quatre et façonner des ronds avec chaque portion. Disposer sur la plaque et ménager des petits trous dans la pâte avec les doigts.

5 Garnir d'oignons rouges et d'olives, napper d'huile d'olive et parsemer de sel et de thym. Couvrir et laisser lever encore 30 minutes.

6 Cuire au four préchauffé, à 190 °C (th. 6-7), 20 à 25 minutes, jusqu'à ce que les focaccias soient cuites et dorées, sortir du four et transférer sur une grille. Laisser refroidir et servir.

pizza au pepperoni

pour 2 personnes

préparation : 20 min,   **repos : 30 min**

cuisson : 15 à 20 min

*Le pepperoni et les tomates se complètent à merveille,
et les piments rouges donnent un sérieux coup de fouet à cette pizza !*

INGRÉDIENTS

PÂTE À PIZZA

225 g de farine de blé dur,
un peu plus pour pétrir

2 cuil. à café de levure de boulanger
déshydratée

1 cuil. à café de sucre roux en poudre

½ cuil. à café de sel

1 cuil. à soupe d'huile d'olive,
un peu plus pour graisser

175 ml d'eau, tiédie

GARNITURE

400 g de tomates concassées
en boîte, égouttées

2 gousses d'ail, hachées

1 cuil. à café d'origan séché

1 à 2 cuil. à café de flocons de piment

225 g de pepperoni, coupé en tranches

2 cuil. à soupe de câpres, égouttées

225 g de mozzarella, coupée
en fines tranches

VALEURS NUTRITIONNELLES	
Calories	1154
Protéines	. . . . .65 g
Glucides	. . . . .109 g
Lipides	. . . . .59 g
Acides gras saturés	. . . . . .25 g

variante

Si vous préférez une pizza
moins piquante, omettez
le piment.

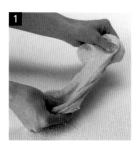

conseil

Pour gagner du temps,
utilisez une préparation pour
pâte à pizza, vendue dans
les supermarchés. La pâte sera
plus généreuse et croustillante
que les pâtes pré-abaissées.

1 Dans une terrine tiède, tamiser la farine, incorporer la levure, le sucre et le sel, et ménager un puits. Mélanger l'huile et l'eau, verser dans le puits et mélanger jusqu'à obtention d'une pâte homogène. Sur un plan fariné, pétrir la pâte 5 à 10 minutes, jusqu'à ce qu'elle soit lisse et élastique, placer dans une terrine tiède et huilée, et couvrir de film alimentaire. Laisser lever près d'une source de chaleur 30 minutes, jusqu'à ce qu'elle double de volume.

2 Préchauffer le four à 220 °C (th. 7-8) et huiler 2 plaques de four. Sur un plan fariné, pétrir la pâte encore 1 minute, diviser en deux et abaisser chaque moitié en un rond de 25 cm de diamètre. Disposer sur les plaques.

3 Pour la garniture, mettre les tomates, l'ail et l'origan dans une terrine, mélanger et répartir sur les ronds de pâte, en laissant une marge.

4 Cuire au four préchauffé 7 à 10 minutes, jusqu'à ce que le bord des pizzas soit légèrement doré, et répartir les flocons de piment sur les pizzas avec les tranches de pepperoni et les câpres. Garnir de mozzarella, remettre au four et cuire 7 à 10 minutes. Sortir du four et servir immédiatement.

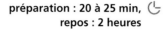

fougasse aux olives noires

pour 12 personnes   **préparation : 20 à 25 min,**   **cuisson : 30 à 35 min**
                              repos : 2 heures

La fougasse est un pain provençal à base d'huile d'olive servie avec de la soupe et des salades, ou en cas de petite faim.

INGRÉDIENTS

500 g de farine de blé dur,
un peu plus pour pétrir
1 cuil. à café de sel
2 cuil. à café de levure de boulanger
déshydratée
350 ml d'eau, tiédie
6 cuil. à soupe d'huile d'olive
vierge extra, un peu plus
pour graisser
115 g d'olives noires dénoyautées,
grossièrement hachées
1 cuil. à café de gros sel

VALEURS NUTRITIONNELLES

Calories 200

Protéines . . . . .5 g

Glucides . . . . .32 g

Lipides . . . . .7 g

Acides gras saturés . . . . . . .1 g

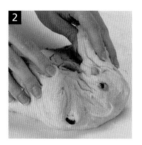

conseil

La saveur de l'huile d'olive est l'élément le plus important de ce pain. Utilisez une huile de bonne qualité, très parfumée.

1 Dans une terrine tiède, tamiser la farine et le sel, incorporer la levure et verser l'eau et 2 cuillerées à soupe d'huile d'olive. Mélanger jusqu'à obtention d'une pâte homogène, pétrir sur un plan fariné 5 à 10 minutes, de sorte que la pâte soit lisse et élastique, et placer dans une terrine tiède et huilée. Couvrir de film alimentaire et laisser lever près d'une source de chaleur 1 heure, jusqu'à ce qu'elle double de volume.

2 Huiler 2 plaques de four. Appuyer sur la pâte de façon à faire sortir l'air, pétrir 1 minute sur un plan fariné et ajouter les olives sans cesser de pétrir jusqu'à ce qu'elles soient bien réparties. Diviser la pâte en deux, abaisser en ovales de 28 x 23 cm et disposer sur les plaques de four. Couvrir de film alimentaire huilé et laisser lever près d'une source de chaleur 1 heure, jusqu'à ce que les ovales doublent de volume.

3 Préchauffer le four à 200 °C (th. 6-7). Ménager des petits trous dans la pâte avec les doigts, verser 2 cuillerées à soupe d'huile et saupoudrer de gros sel. Cuire au four préchauffé 30 à 35 minutes, jusqu'à ce que les fougasses soient dorées, sortir du four et verser l'huile restante en filet. Couvrir d'un torchon de façon à obtenir une croûte molle, découper chaque pain en 6 et servir chaud.

pain tressé au fromage et à la ciboulette

cuisson : 35 min

préparation : 30 min, repos : 1 h 45

pour 10 personnes

Ce délicieux pain très parfumé accompagne parfaitement les soupes et peut être servi avec du fromage.

VALEURS NUTRITIONNELLES	
Calories 237	
Protéines . . . . .9 g	
Glucides . . . . .37 g	
Lipides . . . . .8 g	
Acides gras saturés . . . . . . .4 g	

INGRÉDIENTS

450 g de farine de blé dur,
un peu plus pour pétrir

1 cuil. à café de sel

1 cuil. à café de sucre en poudre

1 cuil. à café ½ de levure de boulanger déshydratée

25 g de beurre

115 g de cheddar, grossièrement râpé

3 cuil. à soupe de ciboulette ciselée

4 oignons verts, hachés

150 ml de lait, tiédi

175 ml d'eau, tiédie

huile, pour graisser

œuf battu, pour dorer

variante

Vous pouvez aussi façonner des petits pains au lieu d'une grosse tresse.

1 Dans une terrine tiède, tamiser la farine et le sel, ajouter le sucre et la levure, et incorporer le beurre avec les doigts. Ajouter le fromage, la ciboulette et les oignons, ménager un puits et verser le lait et l'eau dans le puits. Mélanger jusqu'à obtention d'une pâte homogène et pétrir sur un plan fariné 10 minutes, de sorte que la pâte soit lisse et élastique.

2 Placer la pâte dans une terrine huilée, couvrir de film alimentaire et laisser lever près d'une source de chaleur 1 heure, jusqu'à ce qu'elle double de volume. Préchauffer le four à 220 °C (th. 7-8) et huiler une plaque de four. Sur un plan fariné, pétrir la pâte 1 minute, diviser en trois et façonner des boudins. Tresser les boudins de pâte ensemble et sceller les extrémités en les pinçant.

3 Disposer la tresse sur la plaque de four, couvrir de film alimentaire huilé et laisser lever près d'une source de chaleur 45 minutes, jusqu'à ce que la tresse double de volume. Dorer à l'œuf battu et cuire au four préchauffé 20 minutes.

4 Réduire la température du four à 180 °C (th. 6), cuire encore 15 minutes, jusqu'à ce que le pain soit doré et que sa base sonne creux, et servir chaud ou froid.

pain aux agrumes

⏱ **cuisson : 35 min**

🕐 **préparation : 25 min, repos**   **pour 1 pain**
et refroidissement : 2 heures

*Ce délicieux pain au petit goût d'agrumes est idéal
pour le petit déjeuner.*

INGRÉDIENTS

450 g de farine, un peu plus pour pétrir

½ cuil. à café de sel

50 g de sucre en poudre

1 sachet de levure de boulanger
déshydratée

50 g de beurre, coupé en dés, un peu
plus pour graisser

5 à 6 cuil. à soupe de jus d'orange

4 cuil. à soupe de jus de citron

3 à 4 cuil. à soupe de jus de citron vert

150 ml d'eau, tiédie

1 orange

1 citron

1 citron vert

2 cuil. à soupe de miel liquide

variante

Utilisez du miel parfumé
à l'orange ou aux pignons,
par exemple, pour enduire
le pain.

conseil

Il est très important
que l'eau mélangée
à la levure de boulanger
soit tiède car elle aide
à la fermentation.

1 Beurrer une plaque
de four. Dans une jatte,
tamiser la farine et le sel, ajouter
le sucre et la levure, et mélanger.
Incorporer le beurre avec les
doigts de façon à obtenir
une consistance de chapelure,
ajouter les jus de fruits et l'eau,
et mélanger avec les doigts
jusqu'à obtention d'une pâte
homogène.

2 Sur un plan fariné,
pétrir la pâte 5 minutes,
placer dans une jatte beurrée
et couvrir. Laisser lever 1 heure
près d'une source de chaleur
jusqu'à ce qu'elle double de
volume.

3 Zester l'orange,
le citron et le citron vert,
incorporer à la pâte et pétrir.

4 Diviser la pâte en
deux boules, l'une
légèrement plus grosse que
l'autre. Disposer la grosse boule
sur la plaque de four, disposer
la seconde dessus et enfoncer
un doigt fariné au centre
de la pâte. Couvrir et laisser
lever 40 minutes, jusqu'à
obtention d'une texture
élastique.

5 Cuire au four
préchauffé, à 220 °C
(th. 7-8), 35 minutes, sortir
du four et transférer sur
une grille. Enduire le pain
de miel et servir.

pain irlandais

pour 12 personnes **préparation : 10 min** (L **cuisson : 35 à 40 min**

Ce pain est à base de bicarbonate de soude et non de levure, ce qui simplifie sa préparation : idéal si vous attendez du monde à dîner.

INGRÉDIENTS

280 g de farine, un peu plus
pour pétrir
280 g de farine complète
1 cuil. à café ½ de bicarbonate
de soude
1 cuil. à café de sel
1 cuil. à café de sucre roux en poudre
425 ml de babeurre

VALEURS NUTRITIONNELLES

Calories 167

Protéines . . . . .6 g

Glucides . . . . .38 g

Lipides . . . . .1 g

Acides gras saturés . . . . . . .0 g

conseil

On trouve parfois le babeurre dans les supermarchés mais si vous n'en trouvez pas, remplacez-le par du lait.

1 Préchauffer le four à 230 °C (th. 7-8) et fariner une plaque de four. Dans une jatte, tamiser le bicarbonate de soude, les farines et le sel, incorporer le sucre et ménager un puits. Verser du babeurre dans le puits de façon à obtenir une pâte molle pas trop collante,

en ajoutant du babeurre si nécessaire.

2 Sur un plan fariné, pétrir la pâte rapidement, façonner un rond de 5 cm d'épaisseur et saupoudrer de farine. Dessiner une croix à l'aide d'un couteau tranchant.

3 Disposer sur la plaque de four, cuire au four préchauffé 15 minutes et réduire la température à 200 °C (th. 6-7). Cuire 20 à 25 minutes, jusqu'à ce que la base du pain sonne creux, sortir du four et transférer sur une grille. Laisser tiédir et servir immédiatement.

pain de maïs au fromage et au piment

🕙 **cuisson : 20 min**

🕙 **préparation : 10 min,
refroidissement : 20 min**

pour 8 personnes

*Ce pain blond doré et pimenté était, à l'origine, cuit sur
les braises par les premiers colons américains.*

VALEURS NUTRITIONNELLES

Calories	409
Protéines	. . . . .15 g
Glucides	. . . . .46 g
Lipides	. . . . .20 g
Acides gras saturés	. . . . . .11 g

INGRÉDIENTS

55 g de beurre, fondu,
un peu plus pour graisser

115 g de farine levante

1 cuil. à soupe de levure chimique

1 cuil. à café de sel

225 g de polenta fine

150 g de cheddar affiné, râpé

2 œufs, battus

300 ml de lait

1 piment rouge frais, épépiné
et finement haché

1

2

3

conseil

Ce délicieux pain de maïs
au piment perd assez
rapidement sa fraîcheur.
Il est donc préférable
de le manger le jour
de sa confection.

1 Préchauffer le four
à 200 °C (th. 6-7),
beurrer un moule ou une
sauteuse allant au four de
23 cm de diamètre et chemiser
de papier sulfurisé. Dans
une terrine, tamiser le sel,
la farine et la levure, et ajouter
la polenta et 115 g de cheddar.

2 Dans une autre terrine,
mettre le beurre fondu,
ajouter les œufs et le lait,
et incorporer à la préparation
précédente. Ajouter le piment
et mélanger légèrement.

3 Garnir la sauteuse
ou le moule de la

préparation obtenue, parsemer
de fromage râpé et cuire
au four préchauffé 20 minutes,
jusqu'à ce que le pain ait levé
et soit doré. Sortir du four,
laisser tiédir 2 minutes
et transférer sur une grille.
Laisser refroidir complètement
et servir.

pain au fromage et au jambon

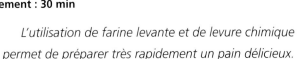

pour 6 personnes

préparation : 25 min,
refroidissement : 30 min

cuisson : 1 heure

L'utilisation de farine levante et de levure chimique permet de préparer très rapidement un pain délicieux.

INGRÉDIENTS

225 g de farine levante

1 cuil. à café de sel

2 cuil. à café de levure chimique

1 cuil. à café de paprika

75 g de beurre, coupé en dés,

un peu plus pour graisser

125 g de fromage à pâte cuite

assez fort, râpé

75 g de jambon fumé,

grossièrement haché

2 œufs, battus

150 ml de lait

VALEURS NUTRITIONNELLES

Calories 360

Protéines . . . . .14 g

Glucides . . . . .33 g

Lipides . . . . .21 g

Acides gras saturés . . . . . .13 g

conseil

Ce délicieux pain perd assez rapidement sa fraîcheur. Il est donc préférable de le manger le jour de sa confection. Laissez-le complètement refroidir avant de le servir.

1 Préchauffer le four à 180 °C (th. 6), beurrer un moule à cake d'une contenance de 450 g et chemiser de papier sulfurisé.

2 Dans une terrine, tamiser la farine, le sel, la levure et le paprika, incorporer le beurre avec les doigts de façon à obtenir une consistance de chapelure fine et ajouter le fromage et le jambon. Incorporer les œufs battus et le lait. Garnir le moule de la préparation obtenue.

3 Cuire au four préchauffé 1 heure, jusqu'à ce que le pain ait levé. Sortir du four, laisser tiédir et démouler. Transférer sur une grille et laisser refroidir complètement.

pain au fromage

🕐 cuisson : 30 min   🕐 préparation : 25 min,   pour 8 personnes
refroidissement : 30 min

*Voici un pain très simple à confectionner. L'idéal
est de le consommer le plus rapidement possible.*

VALEURS NUTRITIONNELLES	
Calories	190
Protéines	. . . . .7 g
Glucides	. . . . .23 g
Lipides	. . . . .9 g
Acides gras saturés	. . . . . . .5 g

INGRÉDIENTS

2 cuil. à soupe de beurre, fondu,
un peu plus pour graisser

225 g de farine levante

1 cuil. à café de sel

1 cuil. à café de moutarde en poudre

100 g de fromage à pâte dure, râpé

2 cuil. à soupe de ciboulette hachée

1 œuf, battu

150 ml de lait

conseil

Dans cette recette, vous
pouvez utiliser le fromage
à pâte dure de votre choix,
comme l'emmental
ou le cheddar.

1 Préchauffer le four
à 190 °C (th. 6-7).
Beurrer un moule carré de
23 cm et chemiser de papier
sulfurisé.

2 Dans une terrine, tamiser
la farine, la moutarde
en poudre et le sel, réserver
3 cuillerées à soupe de fromage
et ajouter la ciboulette et le
fromage restant dans la terrine.
Mélanger et incorporer l'œuf
battu, le beurre fondu et le lait.

3 Garnir le moule
de la préparation
obtenue, lisser la surface
à l'aide d'un couteau et
parsemer de fromage râpé.

4 Cuire au four préchauffé
30 minutes, sortir
du four et laisser refroidir.
Transférer sur une grille,
laisser refroidir complètement
et couper en triangles.

pain torsadé à la mangue

⏲ **cuisson : 30 min**

🕐 **préparation : 15 min, repos et refroidissement : 2 h 40**

pour 1 pain

VALEURS NUTRITIONNELLES

Calories	228
Protéines	. . . . .6 g
Glucides	. . . . .64 g
Lipides	. . . . .4 g
Acides gras saturés	. . . . . . .2 g

De la purée de mangue est incorporée à la pâte de ce pain extraordinairement moelleux, au petit goût exotique.

INGRÉDIENTS

40 g de beurre, coupé en dés, un peu plus pour graisser

450 g de farine, un peu plus pour pétrir

1 cuil. à café de sel

1 sachet de levure de boulanger déshydratée

1 cuil. à café de gingembre en poudre

50 g de sucre roux en poudre

1 petite mangue, pelée, dénoyautée et réduite en purée

250 ml d'eau, tiédie

2 cuil. à soupe de miel liquide

125 g de raisins de Smyrne

1 œuf, légèrement battu

sucre glace, pour saupoudrer

variante

Si vous préférez, remplacez le gingembre par de la cannelle en poudre.

 **1**

 **1**

 **2**

conseil

Pour vérifier la cuisson du pain, tapotez le fond du moule, vous devez obtenir un son creux. À l'obtention d'un son mat, prolongez la cuisson de 5 minutes.

1 Beurrer une plaque de four. Dans une jatte, tamiser la farine et le sel, ajouter le gingembre, la levure et le sucre, et incorporer le beurre avec les doigts de façon à obtenir une consistance de chapelure.

2 Incorporer la purée de mangue, l'eau et le miel de façon à obtenir une pâte homogène.

3 Sur un plan fariné, pétrir la pâte 5 minutes, éventuellement à l'aide d'un mixeur équipé d'un crochet pétrisseur. Placer la pâte dans une jatte beurrée, couvrir et laisser lever 1 heure près d'une source de chaleur, jusqu'à ce qu'elle double de volume.

4 Incorporer les raisins, pétrir et façonner deux boudins de pâte de 25 cm. Les torsader ensemble, les souder en pinçant les extrémités et disposer sur la plaque. Couvrir et laisser lever 40 minutes près d'une source de chaleur.

5 Dorer à l'œuf battu et cuire au four préchauffé, à 220 °C (th. 7-8), 30 minutes, jusqu'à ce que le pain soit doré. Sortir du four, transférer sur une grille et laisser refroidir. Saupoudrer de sucre glace et servir.

pain aux fruits tropicaux

pour 1 pain **préparation : 15 min, repos** ⏱ **cuisson : 30 min** 🔥
et refroidissement : 1 h 40

Ce pain au goût d'ananas et de mangue
égayera vos petits déjeuners.

INGRÉDIENTS

2 cuil. à soupe de beurre, coupé en dés,
un peu plus pour graisser

350 g de farine, un peu plus pour pétrir

50 g de son

½ cuil. à café de sel

½ cuil. à café de gingembre en poudre

1 sachet de levure de boulanger
déshydratée

25 g de sucre roux en poudre

250 ml d'eau, tiédie

75 g d'ananas confit,
finement haché

25 g de mangue séchée, finement
hachée

50 g de noix de coco déshydratée,
râpée et grillée

1 œuf, battu

2 cuil. à soupe de noix de coco râpée

VALEURS NUTRITIONNELLES

Calories 228

Protéines . . . . .6 g

Glucides . . . . .47 g

Lipides . . . . .7 g

Acides gras saturés . . . . . . .5 g

---

variante

Remplacez la mangue par d'autres
fruits séchés, comme des abricots
ou des dattes, si vous préférez.

conseil

Pour tester si le pain
a suffisamment levé
la seconde fois, enfoncez
un doigt dans la pâte :
elle doit reprendre sa forme
initiale très rapidement.

1 Beurrer une plaque
de four. Dans une jatte,
tamiser la farine, incorporer
le son, le sel, le gingembre, la
levure et le sucre, et incorporer
le beurre avec les doigts. Ajouter
l'eau et malaxer jusqu'à
obtention d'une pâte
homogène.

2 Sur un plan fariné,
pétrir la pâte 5 à

8 minutes, éventuellement à
l'aide d'un mixeur équipé d'un
crochet pétrisseur. Placer dans
une jatte beurrée, couvrir et
laisser lever 30 minutes près
d'une source de chaleur, jusqu'à
ce qu'elle double de volume.

3 Incorporer les fruits
hachés, façonner un
rond et disposer sur la plaque
de four. Pratiquer des entailles à

l'aide d'un couteau, couvrir et
laisser lever encore 30 minutes
près d'une source de chaleur.

4 Préchauffer le four à
220 °C (th. 7-8), dorer le
pain à l'œuf battu et parsemer
de noix de coco. Cuire au four
préchauffé 30 minutes, jusqu'à
ce que le pain soit doré, sortir
du four et transférer sur une
grille. Laisser refroidir et servir.

pain levé au chocolat

pour 1 pain   **préparation : 20 min, repos** ⏱   **cuisson : 30 min** ⏱
et refroidissement : 2 heures

Pour les amateurs de chocolat, ce pain est un véritable plaisir
à confectionner mais surtout à déguster.

INGRÉDIENTS

1 cuil. à soupe de beurre,
pour graisser
450 g de farine, un peu plus
pour pétrir
25 g de cacao en poudre
1 cuil. à café de sel
1 sachet de levure de boulanger
déshydratée
25 g de sucre roux en poudre
1 cuil. soupe d'huile
300 ml d'eau, tiédie

VALEURS NUTRITIONNELLES

Calories	228
Protéines	. . . . .8 g
Glucides	. . . . .50 g
Lipides	. . . . .3 g
Acides gras saturés	. . . . . . .1 g

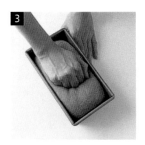

conseil

Avant de pétrir la pâte, pensez toujours à bien fariner votre plan de travail de façon à éviter que la pâte n'adhère à la surface. Veillez toutefois à ne pas trop fariner.

1 Beurrer un moule à cake d'une contenance de 900 g. Dans une jatte, tamiser la farine et le cacao, ajouter le sel, la levure et le sucre, et incorporer l'huile et l'eau tiède de façon à obtenir une pâte homogène.

2 Sur un plan fariné, pétrir la pâte 5 minutes, éventuellement à l'aide d'un mixeur équipé d'un crochet pétrisseur. Placer la pâte dans une jatte beurrée, couvrir et laisser lever 1 heure près d'une source de chaleur, jusqu'à ce qu'elle double de volume.

3 Façonner la pâte aux dimensions du moule, placer dans le moule et couvrir. Laisser lever encore 30 minutes près d'une source de chaleur.

4 Cuire au four préchauffé, à 200 °C (th. 6-7), 25 à 30 minutes, jusqu'à ce que la base du pain sonne creux. Sortir du four, démouler et transférer sur une grille. Laisser refroidir complètement, couper en tranches et servir.

gâteau aux fruits secs et aux pignons

cuisson : 45 min

**préparation : 10 min,
refroidissement : 40 min**

pour 8 personnes

*Une huile d'olive de qualité rehaussera la saveur de ce délicieux
cake. Il se conservera bien dans un récipient hermétique.*

VALEURS NUTRITIONNELLES	
Calories 309	
Protéines . . . . .4 g	
Glucides . . . . .65 g	
Lipides . . . . .17 g	
Acides gras saturés . . . . . . .3 g	

INGRÉDIENTS

225 g de farine levante

50 g de sucre en poudre

125 ml de lait

4 cuil. à soupe de jus d'orange

150 ml d'huile d'olive

100 g de mélange de fruits secs

25 g de pignons

conseil

Les pignons sont plus connus
pour la saveur qu'ils donnent
au fameux pesto italien mais,
ici, ils donnent un goût très
particulier à ce délicieux
gâteau.

1 Préchauffer le four à
180 °C (th. 6), beurrer
un moule de 18 cm de diamètre
et le chemiser de papier
sulfurisé.

2 Dans une jatte, tamiser
la farine, ajouter le sucre
et ménager un puits. Verser
le lait et le jus d'orange dans
le puits, remuer à l'aide d'une
cuillère en bois et incorporer

l'huile sans cesser de remuer
jusqu'à obtention d'un mélange
homogène.

3 Incorporer les fruits secs
et les pignons, et garnir
le moule de la préparation.

4 Cuire au four préchauffé
45 minutes, jusqu'à
ce que le gâteau soit doré
et ferme au toucher.

5 Sortir du four, laisser
tiédir et démouler.
Transférer sur une grille, laisser
refroidir complètement et servir
chaud ou froid coupé en fines
tranches.

cake croustillant aux mûres et aux pommes

cuisson : 1 heure

préparation : 15 min, refroidissement : 40 min

pour 10 personnes

VALEURS NUTRITIONNELLES

Calories 227

Protéines . . . . .5 g

Glucides . . . . .83 g

Lipides . . . . .1 g

Acides gras saturés . . . . . .0,2 g

variante

Remplacez la cannelle en poudre par un mélange d'épices et les cristaux de sucre blanc par des cristaux de sucre roux en poudre.

Les petits cristaux de sucre incorporés à la pâte de ce cake facile à préparer lui confèrent une texture fabuleuse.

INGRÉDIENTS

1 cuil. à soupe de beurre, pour graisser

350 g de pommes à couteau, pelées, évidées et coupées en dés

3 cuil. à soupe de jus de citron

300 g de farine levante complète

½ cuil. à café de levure chimique

1 cuil. à café de cannelle en poudre

175 g de sucre roux en poudre

175 g de mûres, nettoyées

1 œuf, battu

200 ml de yaourt nature allégé

55 g de morceaux de sucre blanc ou roux, légèrement concassés

DÉCORATION

mûres, nettoyées

cannelle en poudre

pommes à couteau, coupées en tranches

conseil

Remplacez les mûres par des myrtilles si vous préférez. Vous pouvez les choisir en boîte ou surgelées si vous ne les trouvez pas au rayon frais.

1 Préchauffer le four à 190 °C (th. 6-7), beurrer un moule à cake d'une contenance de 900 g et le chemiser de papier sulfurisé. Dans une casserole, mettre les pommes et le jus de citron, porter à ébullition et couvrir. Cuire à feu doux 10 minutes, jusqu'à ce que les pommes soient tendres, bien battre et laisser refroidir.

2 Dans une jatte, tamiser la levure, la cannelle et la farine, en ajoutant le son resté dans le tamis, et incorporer le sucre et 115 g de mûres.

3 Ménager un puits, ajouter l'œuf, le yaourt et la compote, et mélanger. Garnir le moule de la préparation obtenue et lisser la surface à l'aide d'une spatule.

4 Parsemer de mûres et de sucre, et cuire au four préchauffé 40 à 45 minutes, jusqu'à ce que le cake soit doré. Sortir du four et laisser refroidir.

5 Démouler le gâteau, retirer le papier sulfurisé et saupoudrer de cannelle. Servir décoré de mûres et de tranches de pommes.

cake aux fruits à la compote de pommes

pour 4 personnes   **préparation : 20 min, trempage** ⏱   **cuisson : 2 heures** ⏱
et refroidissement : 1 heure

Ce délicieux cake aux fruits accompagne à merveille une tasse de thé.
La compote se prépare rapidement pendant que le cake est au four.

INGRÉDIENTS

1 cuil. à soupe de beurre, pour graisser

175 g de flocons d'avoine

1 cuil. à café de cannelle en poudre

100 g de sucre roux en poudre

125 g de raisins de Smyrne

175 g de raisins secs

2 cuil. à soupe d'extrait de malt

300 ml de jus de pomme

sans sucre ajouté

175 g de farine levante complète

1 cuil. à café ½ de levure chimique

COMPOTE DE FRUITS

225 g de fraises, lavées et équeutées

2 pommes à couteau, évidées, hachées

et mélangées à 1 cuil. à soupe de jus

de citron

300 ml de jus de pomme

sans sucre ajouté

ACCOMPAGNEMENT

fraises

tranches de pomme

VALEURS NUTRITIONNELLES

Calories 733

Protéines . . . . .12 g

Glucides . . . . .281 g

Lipides . . . . .5 g

Acides gras saturés . . . . . . .1 g

---

variante

Dans la compote, vous pouvez remplacer les fraises par d'autres fruits rouges, des framboises ou des mûres par exemple.

conseil

Assurez-vous de ne pas choisir un bocal trop grand pour stocker la compote car, une fois le bocal ouvert, il faudra consommer la compote très rapidement.

1 Préchauffer le four à 180 °C (th. 6), beurrer un moule à cake d'une contenance de 900 g et le chemiser de papier sulfurisé. Dans une jatte, mélanger les flocons d'avoine, le sucre, la cannelle, les raisins, l'extrait de malt et le jus de pomme, et laisser macérer 30 minutes.

2 Tamiser la farine et la levure, et incorporer à la préparation précédente à l'aide d'une cuillère en métal, en ajoutant le son resté dans le tamis.

3 Garnir le moule de la préparation, cuire au four préchauffé 1 h 30, jusqu'à

ce que la pointe d'un couteau piquée au centre ressorte sans trace de pâte, et sortir du four. Laisser tiédir 10 minutes, démouler et transférer sur une grille.

4 Pour la compote, mettre les fraises, les pommes et le jus de pomme dans une

casserole, porter à ébullition et cuire à feu doux 30 minutes. Battre la compote, verser dans un bocal chaud et laisser refroidir. Fermer et étiqueter.

5 Servir le cake accompagné de compote et de fruits.

stollen

pour 10 personnes
préparation : 30 min,
repos : 5 heures
cuisson : 40 min

Le stollen est un délicieux pain épicé aux fruits, fourré à la pâte d'amandes, originaire d'Autriche et traditionnellement servi à Noël.

INGRÉDIENTS

85 g de raisins de Corinthe

55 g de raisins secs

30 g de mélange de zestes confits, hachés

55 g de cerises confites, rincées, séchées et coupées en quartiers

2 cuil. à soupe de rhum

55 g de beurre

175 ml de lait

25 g de sucre roux en poudre

375 g de farine de blé dur, un peu plus pour saupoudrer

½ cuil. à café de cannelle en poudre

½ cuil. à café de noix muscade en poudre

graines de 3 gousses de cardamome

2 cuil. à café de levure de boulanger déshydratée

zeste finement râpé d'un citron

1 œuf, battu

40 g d'amandes effilées

huile, pour graisser

175 g de pâte d'amandes

beurre fondu, pour graisser

sucre glace tamisé, pour saupoudrer

VALEURS NUTRITIONNELLES

Calories 360

Protéines . . . . .8 g

Glucides . . . . .90 g

Lipides . . . . .11 g

Acides gras saturés . . . . . . .4 g

variante

Vous pouvez remplacer la noix muscade et la cannelle par un mélange d'épices et les cerises par des abricots secs.

conseil

Une pâte aussi riche que celle-ci prend plus de temps pour lever qu'une pâte à pain ordinaire. N'essayez pas de la placer dans un endroit très chaud pour accélérer le processus.

1 Dans une jatte, mettre les raisins, les zestes et les cerises, incorporer le rhum et réserver. Dans une casserole, mettre le beurre, le sucre et le lait, chauffer à feu doux jusqu'à ce que le sucre soit dissous et le beurre fondu, et laisser tiédir. Dans une jatte, tamiser la farine, la cannelle et la noix muscade, concasser les graines de cardamome et ajouter dans la jatte avec la levure. Ménager un puits et incorporer la préparation à base de lait, l'œuf et le zeste de citron sans cesser de battre jusqu'à obtention d'une pâte homogène.

2 Sur un plan fariné, pétrir la pâte 5 minutes, ajouter les amandes et les fruits réservés, et placer dans une jatte huilée. Couvrir de film alimentaire et laisser lever près d'une source de chaleur 3 heures, jusqu'à ce que la pâte double de volume. Sur un plan fariné, pétrir 1 à 2 minutes et abaisser en un carré de 25 cm.

3 Rouler la pâte d'amandes en boudin de 20 cm, disposer au centre de la pâte et envelopper en soudant les extrémités. Disposer sur une plaque de four beurrée, soudure vers le bas, couvrir de film alimentaire et laisser lever près d'une source de chaleur 2 heures, jusqu'à ce que la pâte double de volume. Cuire au four préchauffé, à 190 °C (th. 6-7), 40 minutes, jusqu'à ce que le stollen soit doré et que sa base sonne creux. Sortir du four, beurrer et saupoudrer de sucre. Laisser refroidir sur une grille.

briochettes aux fruits confits

pour 12 personnes   **préparation : 30 min, repos**    **cuisson : 20 min**
et refroidissement : 3 heures

Ces petites brioches anglaises sont délicieuses coupées en deux,
grillées et beurrées. Utilisez des fruits confits de bonne qualité.

INGRÉDIENTS

2 cuil. à soupe de beurre, coupé en dés,
un peu plus pour graisser
450 g de farine, un peu plus pour pétrir
1 sachet de levure de boulanger
déshydratée
50 g de sucre en poudre
1 cuil. à café de sel
300 ml de lait, tiède
75 g de mélange de fruits confits
miel, pour enduire
beurre, pour tartiner

VALEURS NUTRITIONNELLES

Calories	197
Protéines	. . . . .6 g
Glucides	. . . . .50 g
Lipides	. . . . .3 g
Acides gras saturés	. . . . . . .2 g

conseil

La température du lait a son
importance : faites-le chauffer
de sorte que vous puissiez tout
de même tremper votre petit
doigt dedans 10 secondes
sans vous brûler.

1 Beurrer plusieurs plaques de four. Dans une jatte, tamiser la farine, ajouter la levure, le sucre et le sel, et incorporer le beurre avec les doigts de façon à obtenir une consistance de chapelure. Ajouter le lait et mélanger jusqu'à obtention d'une pâte homogène.

2 Sur un plan fariné, pétrir la pâte 5 minutes, éventuellement à l'aide d'un mixeur équipé d'un crochet pétrisseur, placer la pâte dans une jatte beurrée et couvrir. Laisser lever près d'une source de chaleur 1 heure à 1 h 30, jusqu'à ce que la pâte double de volume.

3 Pétrir la pâte quelques minutes, incorporer les fruits confits et diviser en douze. Façonner des boules de pâte, disposer sur les plaques de four et couvrir. Laisser lever encore 1 heure, jusqu'à ce que la pâte soit élastique au toucher.

4 Cuire au four préchauffé, à 220 °C (th. 7-8), 20 minutes, sortir du four et enduire immédiatement de miel. Transférer sur une grille, laisser refroidir et couper en deux. Faire griller, tartiner de beurre et servir immédiatement.

spirales à la cannelle

⏲ **cuisson : 30 min**

🕐 **préparation : 25 min, repos et refroidissement : 1 h 20**

pour 12 personnes

Ces spirales à la cannelle sont délicieuses lorsqu'elles sont dégustées à la sortie du four, encore bien chaudes.

VALEURS NUTRITIONNELLES	
Calories	160
Protéines	4 g
Glucides	34 g
Lipides	6 g
Acides gras saturés	4 g

INGRÉDIENTS

25 g de beurre, coupé en dés, un peu plus pour graisser

225 g de farine, un peu plus pour pétrir

½ cuil. à café de sel

1 sachet de levure de boulanger déshydratée

1 œuf, battu

125 ml de lait, tiède

2 cuil. à soupe de sirop d'érable

GARNITURE

50 g de beurre, en pommade

50 g de sucre roux en poudre

2 cuil. à café de cannelle en poudre

50 g de raisins secs

conseil

Au lieu de beurrer le moule et la jatte, vous pouvez utiliser un peu d'huile. Dans tous les cas, utilisez un pinceau de cuisine pour vous assurer que le beurre ou l'huile sont uniformément répartis.

1 Beurrer un moule carré de 23 cm de côté. Dans une jatte, tamiser la farine et le sel, ajouter la levure et incorporer le beurre avec les doigts de façon à obtenir une consistance de chapelure. Ajouter l'œuf et le lait, mélanger jusqu'à obtention d'une pâte souple et placer dans une jatte beurrée. Couvrir et laisser lever près d'une source de chaleur 40 minutes, jusqu'à ce qu'elle double de volume.

2 Sur un plan fariné, pétrir la pâte 1 minute et façonner un rectangle de 30 x 23 cm.

3 Pour la garniture, battre le beurre en crème avec le sucre et la cannelle jusqu'à ce que le mélange blanchisse, répartir sur la pâte en laissant 2,5 cm de marge et parsemer de raisins secs.

4 Rouler la pâte dans la longueur, souder les bords et couper en 12 tranches. Répartir dans le moule, couvrir et laisser lever 30 minutes.

5 Cuire au four préchauffé, à 190 °C (th. 6-7), 20 à 30 minutes, jusqu'à ce que les spirales aient bien levé, sortir du four et enduire de sirop d'érable. Laisser tiédir et servir.

petits pains du Vendredi Saint

pour 12 petits pains

préparation : 35 min,
repos : 2 h 45

cuisson : 15 à 20 min

*Quoi de plus tentant et alléchant que l'arôme chaud et épicé
de ces petits pains à leur sortie du four.*

INGRÉDIENTS

500 g de farine de blé dur,
un peu plus pour pétrir

½ cuil. à café de sel

2 cuil. à café de mélange d'épices

1 cuil. à café de noix muscade
en poudre

1 cuil. à café de cannelle en poudre

2 cuil. à café de levure de boulanger
déshydratée

50 g de sucre roux en poudre

zeste finement râpé d'un citron

175 g de raisins de Corinthe

75 g de mélange de zestes confits,
hachés

75 g de beurre, fondu

1 œuf

225 ml de lait, tiède

huile, pour graisser

DÉCORATION

50 g de farine

25 g de beurre, coupé en dés

1 cuil. à soupe d'eau froide

3 cuil. à soupe de lait

3 cuil. à soupe de sucre roux en poudre

VALEURS NUTRITIONNELLES

Calories 323

Protéines . . . . .7 g

Glucides . . . . .80 g

Lipides . . . . .9 g

Acides gras saturés . . . . . . .5 g

variante

Si vous préférez faire des pains
plus petits, divisez la pâte
en 24 morceaux au lieu de 12.

conseil

Veillez à appuyer
délicatement mais
fermement les croix
sur les pains, afin qu'elles
ne se décollent pas
à la cuisson.

1 Dans une jatte, tamiser la farine, les épices et le sel, incorporer la levure, le sucre, les zestes et les raisins, et ménager un puits. Mélanger le beurre, l'œuf et le lait, verser dans le puits et mélanger jusqu'à obtention d'une pâte lisse, en ajoutant du lait si nécessaire. Sur un plan fariné, pétrir la pâte 10 minutes, jusqu'à ce qu'elle soit lisse et élastique, mettre dans une jatte huilée et couvrir de film alimentaire. Laisser la pâte lever près d'une source de chaleur 2 heures, jusqu'à ce qu'elle double de volume.

2 Sur un plan fariné, pétrir la pâte 1 à 2 minutes, diviser en 12 boules et disposer sur une plaque de four beurrée. Aplatir légèrement, couvrir de film alimentaire beurré et laisser lever près d'une source de chaleur 45 minutes, jusqu'à ce que la pâte double de volume. Préchauffer le four à 220 °C (th. 7-8).

3 Pour les croix, tamiser la farine dans une jatte, incorporer le beurre avec les doigts et ajouter l'eau de façon à obtenir une pâte. Diviser en 24 bandes de 18 cm.

Pour le glaçage, mettre le lait et le sucre dans une casserole, chauffer à feu doux sans cesser de remuer jusqu'à ce que le sucre soit dissous et enduire les petits pains. Déposer les croix et cuire au four préchauffé 15 à 20 minutes, jusqu'à ce que les pains soient dorés. Enduire de nouveau de glaçage, cuire 1 minute et transférer sur une grille. Laisser refroidir et servir.

kouglof au carvi

pour 8 personnes

préparation : 15 min,
repos : 3 à 5 heures

cuisson : 30 min

Le kouglof est une spécialité traditionnelle alsacienne à mi-chemin entre le pain et le gâteau. Les graines de carvi lui donnent une saveur unique.

INGRÉDIENTS

225 g de farine de blé dur

55 g de sucre roux en poudre

2 cuil. à café de levure de boulanger déshydratée

4 cuil. à café de graines de carvi

50 ml d'eau, tiède

115 g de beurre, fondu, un peu plus pour graisser

3 œufs, battus

sucre glace, pour saupoudrer

beurre, en accompagnement

VALEURS NUTRITIONNELLES

Calories	.267
Protéines	.7 g
Glucides	.37 g
Lipides	.15 g
Acides gras saturés	.9 g

conseil

Le moule à kouglof ayant de nombreuses cannelures, il est important de bien le graisser pour le démouler facilement. Si vous n'avez pas de moule à kouglof, prenez un moule rond.

1 Dans une jatte tiède, tamiser la farine, incorporer le sucre, les graines de carvi et la levure, et ménager un puits. Mélanger le beurre, les œufs et l'eau, verser dans le puits et battre jusqu'à obtention d'une consistance homogène. Couvrir la jatte de film alimentaire et laisser lever près d'une source de chaleur 2 à 3 heures, jusqu'à ce que la préparation double de volume.

2 Graisser un moule de 20 cm de diamètre, mélanger la préparation et garnir le moule. Couvrir de film alimentaire et laisser lever encore 1 à 2 heures, jusqu'à ce que la préparation double de volume. Préchauffer le four à 200 °C (th. 6-7).

3 Retirer le film alimentaire, cuire au tour préchauffé 20 minutes, et réduire à 190 °C (th. 6-7) la température du four. Cuire encore 10 minutes, jusqu'à ce que le gâteau ait levé et soit doré, sortir du four et laisser tiédir 10 minutes. Démouler, transférer sur une grille et saupoudrer de sucre glace. Servir immédiatement avec du beurre.

brioches à l'orange et aux raisins

cuisson : 15 min

préparation : 30 min, repos : 2 heures

pour 12 brioches

Si la brioche est généralement servie nature au petit-déjeuner, elle accompagnera parfaitement le goûter en lui ajoutant des raisins secs.

VALEURS NUTRITIONNELLES

Calories	129
Protéines	. . . . .4 g
Glucides	. . . . .24 g
Lipides	. . . . .5 g
Acides gras saturés	. . . . . . .3 g

INGRÉDIENTS

55 g de beurre, fondu, un peu plus pour graisser

225 g de farine de blé dur, un peu plus pour saupoudrer

½ cuil. à café de sel

2 cuil. à café de levure de boulanger déshydratée

1 cuil. à soupe de sucre roux en poudre

55 g de raisins secs

zeste râpé d'une orange

2 cuil. à soupe d'eau, tiède

3 œufs, battus

huile, pour graisser

conseil

Si vous n'avez pas de moule à brioche, utilisez des petits moules à gâteau ordinaires. Les brioches ne seront pas striées à la base, mais elles seront tout aussi délicieuses.

1 Graisser 12 moules à brioche individuels. Dans une jatte tiède, tamiser la farine et le sel, incorporer la levure, le sucre, les raisins et le zeste d'orange, et ménager un puits. Mélanger 2 œufs battus, le beurre et l'eau, verser dans la préparation précédente et bien mélanger jusqu'à obtention d'une pâte homogène. Sur un plan fariné,

pétrir 5 minutes, jusqu'à obtention d'une pâte souple, mettre dans une jatte huilée et couvrir de film alimentaire. Laisser lever près d'une source de chaleur 1 heure, jusqu'à ce que la pâte double de volume.

2 Sur un plan fariné, pétrir la pâte 1 minute, façonner un boudin et diviser en douze. Avec les trois-quarts

d'une part, façonner une boule, mettre dans un moule et creuser une cavité avec un doigt fariné. Façonner le quart restant en poire et placer dans la cavité en appuyant et en aplatissant légèrement. Répéter l'opération avec la pâte restante.

3 Disposer les moules sur une plaque de four, couvrir de film alimentaire

et laisser lever près d'une source de chaleur 1 heure, jusqu'à ce que la pâte remplisse le moule.

4 Préchauffer le four à 220 °C (th. 7-8), dorer les brioches à l'œuf battu et cuire au four préchauffé 15 minutes, jusqu'à ce que les brioches soient dorées. Sortir du four, démouler et servir chaud.

petits pains de Chelsea

pour 9 petits pains

**préparation : 30 min,
repos : 1 h 45**

cuisson : 30 min

*Les petits pains de Chelsea, sucrés et épicés, sont irrésistibles
en accompagnement du traditionnel thé anglais.*

INGRÉDIENTS

25 g de beurre, un peu plus
pour graisser

225 g de farine de blé dur,
un peu plus pour abaisser la pâte

½ cuil. à café de sel

2 cuil. à café de levure de boulanger
déshydratée

1 cuil. à café de sucre roux en poudre

125 ml de lait, tiède

1 œuf, battu

huile, pour graisser

85 g de sucre glace, pour le glaçage

GARNITURE

55 g de sucre roux en poudre

115 g de mélange de fruits secs

1 cuil. à café de mélange d'épices

55 g de beurre, en pommade

VALEURS NUTRITIONNELLES	
Calories	266
Protéines	. . . . .5 g
Glucides	. . . . .71 g
Lipides	. . . . .9 g
Acides gras saturés	. . . . . . .5 g

variante

Pour un goût épicé plus prononcé,
ajoutez ½ cuillerée à café de cannelle
en poudre et ½ cuillerée à café de noix
muscade fraîchement râpée.

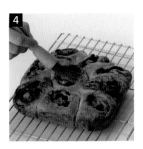

conseil

Lorsque vous disposez
les petits pains dans le moule,
mettez-les bien côte à côte
sur trois rangées de façon
à ce qu'ils se collent pendant
la cuisson et ne forment
qu'un morceau.

1 Graisser un moule carré de 18 cm. Dans une jatte tiède, tamiser la farine et le sel, incorporer la levure, le sucre et le beurre, et ménager un puits. Mélanger l'œuf et le lait, verser dans le puits et mélanger jusqu'à obtention d'une pâte homogène. Sur un plan fariné, pétrir 5 à 10 minutes, jusqu'à obtention d'une pâte souple, mettre dans une jatte huilée et couvrir de film alimentaire. Laisser lever près d'une source de chaleur 1 heure, jusqu'à ce que la pâte double de volume.

2 Sur un plan fariné, pétrir 1 minute et abaisser en un rectangle de 30 x 23 cm.

3 Mettre le sucre, les fruits et les épices dans une jatte et mélanger. Napper la pâte de beurre, parsemer du mélange à base de fruits et rouler la pâte en partant d'un bord long. Diviser en neuf, disposer dans le moule côté coupé vers le haut et couvrir de film alimentaire huilé. Laisser lever près d'une source de chaleur 45 minutes, jusqu'à ce que la pâte ait bien levé.

4 Cuire au four préchauffé, à 190 °C (th. 6-7), 30 minutes, jusqu'à ce que le gâteau soit doré, sortir du four et laisser tiédir 10 minutes. Transférer sur une grille et laisser refroidir. Dans une jatte, délayer le sucre glace dans de l'eau de façon à obtenir un glaçage, enduire le gâteau et laisser prendre. Séparer les petits pains et servir.

pain aux abricots et aux noix

pour 12 personnes

préparation : 25 min,
repos : 2 à 5 heures

cuisson : 30 min

*Servez ce pain le jour de sa confection, découpé et beurré ou entier
pour laisser vos invités couper des morceaux à leur convenance.*

INGRÉDIENTS

55 g de beurre, un peu plus
pour graisser

350 g de farine de blé dur,
un peu plus pour pétrir

½ cuil. à café de sel

1 cuil. à café de sucre roux en poudre

2 cuil. à café de levure de boulanger
déshydratée

115 g d'abricots secs, hachés

55 g de noix, concassées

150 ml de lait, tiède

75 ml d'eau, tiède

1 œuf, battu

huile, pour graisser

GARNITURE

85 g de sucre glace

cerneaux de noix

VALEURS NUTRITIONNELLES

Calories 230

Protéines . . . . .6 g

Glucides . . . . .46 g

Lipides . . . . .9 g

Acides gras saturés . . . . . . .3 g

variante

Vous pouvez remplacer les abricots
par des cerises confites, des airelles
séchées ou des dattes.

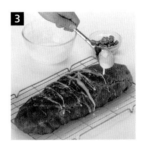

conseil

Tresser le pain de cette manière
le rend bien plus facile
à découper en petits morceaux
après la cuisson. Laisser
refroidir avant de le manger.

---

1 Beurrer et fariner
une plaque de four.
Dans une jatte tiède, tamiser
la farine et le sel, ajouter le sucre
et la levure, et incorporer
le beurre avec les doigts.
Ajouter les abricots et les noix,
et ménager un puits. Mélanger
le lait, l'eau et l'œuf, verser
dans le puits et mélanger
jusqu'à obtention d'une pâte
lisse. Sur un plan fariné, pétrir

la pâte 10 minutes, jusqu'à
obtention d'une consistance
homogène, mettre dans une
jatte huilée et couvrir de film
alimentaire huilé. Laisser lever
près d'une source de chaleur
2 à 3 heures, jusqu'à ce que
la pâte double de volume.

2 Sur un plan fariné, pétrir
la pâte 1 minute, diviser
en cinq et façonner des boudins

de 30 cm. Tresser 3 boudins,
pincer les extrémités et mettre
sur la plaque. Tresser les boudins
restants, poser sur la première
tresse et couvrir de film
alimentaire huilé. Laisser lever
près d'une source de chaleur
1 à 2 heures, jusqu'à ce que
la pâte double de volume.

3 Cuire au four
préchauffé, à 220 °C

(th. 7-8), 10 minutes, réduire
la température du four à 190 °C
(th. 6-7) et cuire 20 minutes.
Sortir du four, transférer sur
une grille et laisser refroidir.
Dans une jatte, délayer le sucre
glace dans de l'eau de façon
à obtenir un glaçage fin,
enduire le pain et décorer
de cerneaux de noix coupées.
Servir immédiatement.

barm brack

cuisson : 1 heure

préparation : 25 min, repos : 2 h 30   **pour 15 personnes**

VALEURS NUTRITIONNELLES

Calories 260

Protéines . . . . .6 g

Glucides . . . . .73 g

Lipides . . . . .5 g

Acides gras saturés . . . . . . .3 g

variante

Choisissez vous-mêmes les fruits secs pour essayer de nouvelles saveurs. Ajoutez des abricots secs, voire des figues.

La tradition voulait qu'une bague de fiançailles soit ajoutée à la préparation de ce pain irlandais épicé, et que celui ou celle qui la trouvait se marierait dans l'année.

INGRÉDIENTS

650 g de farine de blé dur, un peu plus pour pétrir

1 cuil. à café de mélange d'épices

1 cuil. à café de sel

2 cuil. à café de levure de boulanger déshydratée

55 g de sucre roux en poudre

300 ml de lait, tiède

150 ml d'eau, tiède

huile, pour graisser

55 g de beurre, en pommade, un peu plus pour graisser

325 g de mélange de fruits secs

lait, pour glacer

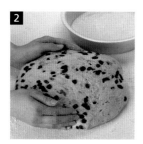

conseil

La triple levée de ce pain est ce qui lui apporte cette texture aérée particulière, mais si vous manquez de temps, vous pouvez vous passer de la deuxième levée.

1 Dans une jatte tiède, tamiser la farine, le sel et les épices, incorporer la levure et 1 cuillerée à soupe de sucre, et ménager un puits. Verser le lait et l'eau progressivement dans le puits, mélanger jusqu'à obtention d'une pâte collante, et pétrir sur un plan fariné jusqu'à ce que la pâte ne colle plus. Placer la pâte dans une jatte chaude et huilée, couvrir de film alimentaire et laisser lever près d'une source de chaleur 1 heure, jusqu'à ce que la pâte double de volume.

2 Sur un plan fariné, pétrir légèrement 1 minute, incorporer le beurre et les fruits sans cesser de pétrir et remettre la pâte dans la jatte. Couvrir de nouveau et laisser lever encore 30 minutes. Graisser un moule de 23 cm de diamètre, façonner la pâte en un rond de la taille du moule et placer dans le moule. Couvrir et laisser lever près d'une source de chaleur jusqu'à ce que la pâte dépasse des bords de moule. Préchauffer le four à 200 °C (th. 6-7).

3 Enduire la surface du pain avec un peu de lait, cuire au four préchauffé 15 minutes, et couvrir de papier d'aluminium. Réduire la température du four à 180 °C (th. 6), cuire encore 45 minutes, jusqu'à ce que le pain soit doré et que sa base sonne creux, et sortir du four. Démouler, transférer sur une grille et laisser refroidir complètement.

marbré au chocolat et à l'orange

pour 12 personnes

préparation : 20 min, ⏱
refroidissement : 20 min

cuisson : 35 à 40 min ⏱

Cette recette vous permet de préparer deux gâteaux :
l'un à déguster sans attendre et l'autre à congeler pour plus tard.

INGRÉDIENTS

150 g de beurre, en pommade,
un peu plus pour graisser

75 g de chocolat noir,
cassé en morceaux

250 g de sucre roux en poudre

5 gros œufs, battus

150 g de farine

2 cuil. à café de levure chimique

1 pincée de sel

zeste râpé de 2 oranges

VALEURS NUTRITIONNELLES	
Calories	.286
Protéines	.5 g
Glucides	.62 g
Lipides	.15 g
Acides gras saturés	.9 g

conseil

Lorsque vous ajoutez
progressivement les œufs
battus à l'étape 2,
la préparation prend
une consistance d'œufs
cuits. Ne vous inquiétez pas,
c'est tout à fait normal.

1 Préchauffer le four
à 180 °C (th. 6), graisser
2 moules d'une contenance
de 450 g et chemiser de papier
sulfurisé. Mettre le chocolat
dans une jatte, disposer sur
une casserole d'eau, sans que
la jatte touche l'eau, et chauffer
jusqu'à ce que le chocolat fonde.

2 Dans une autre jatte,
battre le beurre en crème

avec le sucre jusqu'à ce que le
mélange blanchisse, incorporer
progressivement les œufs
et tamiser la farine, la levure
et le sel dans la préparation.

3 Incorporer un tiers
de la préparation
obtenue au chocolat fondu,
incorporer le zeste d'orange
dans la préparation restante
et répartir uniformément

un quart de la préparation
à l'orange dans les moules.

4 Répartir la préparation
au chocolat dans les
moules à l'aide d'une cuillère,
sans lisser la surface, recouvrir
avec la préparation à l'orange
restante et mélanger les deux
couches supérieures de façon
à obtenir un effet marbré.
Cuire au four préchauffé

35 à 40 minutes, jusqu'à
ce que la pointe d'un couteau
piquée au centre ressorte sans
trace de pâte, sortir du four
et laisser tiédir 10 minutes.
Démouler, retirer le papier
sulfurisé et transférer sur
une grille. Laisser refroidir
complètement et servir.

cake aux dattes et aux noix

cuisson : 1 h 05 à 1 h 20

**préparation : 20 min,
refroidissement : 20 min**

pour 10 personnes

*Ce délicieux cake moelleux comporte plusieurs couches
de purée de datte sucrée.*

VALEURS NUTRITIONNELLES

Calories	396
Protéines	. . . . .6 g
Glucides	. . . . .81 g
Lipides	. . . . .22 g
Acides gras saturés	. . . . . .11 g

INGRÉDIENTS

175 g de beurre, un peu plus
pour graisser

225 g de dattes, dénoyautées
et hachées

zeste râpé et jus d'une orange

50 ml d'eau

175 g de sucre roux en poudre

3 œufs, battus

85 g de farine complète levante

85 g de farine levante

55 g de noix, hachées

8 cerneaux de noix

lanières de zeste d'orange, pour décorer

conseil

Les dattes vendues
spécifiquement pour
la pâtisserie sont souvent
roulées dans le sucre.
Veillez à ne pas choisir
celles-ci, sinon le cake
sera trop sucré.

1 Préchauffer le four à
160 °C (th. 5-6), graisser
un moule d'une contenance
de 900 g et chemiser de papier
sulfurisé. Dans une casserole,
mettre les dattes, l'eau, le zeste
et le jus d'orange, et cuire
5 minutes à feu moyen sans
cesser de remuer, jusqu'à
obtention d'une purée.

2 Dans une jatte, battre
le beurre en crème
avec le sucre jusqu'à ce que
le mélange blanchisse,
incorporer progressivement
les œufs et tamiser les farines.
Ajouter les noix hachées,
mélanger et garnir le moule
d'un tiers de la préparation.
Garnir de la moitié des noix.

3 Répéter l'opération
en terminant par
une couche de préparation,
garnir de cerneaux de noix
et cuire au four préchauffé
1 heure à 1 h 15, jusqu'à
ce que le gâteau ait bien levé
et qu'il soit ferme au toucher.
Sortir du four, laisser tiédir
10 minutes et démouler.

Retirer le papier sulfurisé,
transférer sur une grille et laisser
refroidir complètement. Décorer
avec les lanières de zeste
d'orange et servir coupé
en tranches.

cake à la cannelle et aux raisins secs

pour 8 personnes

**préparation : 25 min,
refroidissement : 1 heure**

cuisson : 1 h 10

*Ce cake épicé et fruité est très simple à préparer.
Servez-le pour le goûter, en tranches beurrées et nappées de miel.*

INGRÉDIENTS

150 g de beurre, coupé en dés,
un peu plus pour graisser

350 g de farine

1 pincée de sel

1 cuil. à soupe de levure chimique

1 cuil. à soupe de cannelle en poudre

125 g de sucre roux en poudre

175 g de raisins secs

zeste finement râpé d'une orange

5 à 6 cuil. à soupe de jus d'orange

6 cuil. à soupe de lait

2 œuf, légèrement battus

VALEURS NUTRITIONNELLES

Calories	439
Protéines	. . . . .7 g
Glucides	. . . . .100 g
Lipides	. . . . .18 g
Acides gras saturés	. . . . . .11 g

variante

Vous pouvez utiliser tous les types
de raisins secs que vous souhaitez.

conseil

Une fois que vous avez
incorporé les ingrédients
liquides, enchaînez rapidement
les étapes 4 et 5 car la levure
chimique s'active à leur
contact.

1 Préchauffer le four
à 180 °C (th. 6),
beurrer un moule à cake
d'une contenance de 900 g
et le chemiser de papier
sulfurisé.

2 Dans une jatte, tamiser
la farine, le sel, la levure
et la cannelle, et incorporer

le beurre avec les doigts
de façon à obtenir une
consistance de chapelure.

3 Ajouter le sucre,
les raisins et le zeste
d'orange, mélanger le jus
d'orange, le lait et les œufs,
et ajouter à la préparation
précédente. Garnir le moule

de la préparation obtenue et
pratiquer une entaille à l'aide
d'un couteau au centre du
cake pour l'aider à lever.

4 Cuire au four préchauffé
1 heure à 1 h 10,
jusqu'à ce que la pointe d'un
couteau piquée au centre
ressorte sans trace de pâte,

sortir du four et laisser tiédir.
Démouler, transférer sur
une grille et laisser refroidir
complètement. Découper
en tranches et servir.

cake épicé aux pommes et aux abricots

pour 10 personnes

préparation : 15 min, refroidissement : 10 min

cuisson : 55 min à 1 heure

Ce cake aux fruits est très compact et convient donc parfaitement pour un pique-nique ou pour mettre dans le cartable des enfants.

INGRÉDIENTS

115 g de beurre, en pommade,
un peu plus pour graisser
140 g de sucre roux en poudre
2 œufs, battus
100 g d'abricots secs, hachés
2 pommes à cuire, pelées
et grossièrement râpées
2 cuil. à soupe de lait
225 g de farine levante
1 cuil. à café de mélange d'épices
½ cuil. à café de cannelle en poudre

VALEURS NUTRITIONNELLES

Calories 258

Protéines . . . . .4 g

Glucides . . . . .59 g

Lipides . . . . .11 g

Acides gras saturés . . . . . . .7 g

conseil

La plupart des supermarchés vendent des abricots secs sous la dénomination « prêts à consommer ». Ils sont assez mous pour être facilement hachés sans avoir trempé.

1 Préchauffer le four à 180 °C (th. 6), graisser un moule d'une contenance de 900 g et chemiser de papier sulfurisé. Dans une jatte, battre le beurre en crème avec le sucre jusqu'à ce que le mélange blanchisse et incorporer progressivement les œufs.

2 Réserver 25 g d'abricots, incorporer les abricots restants dans la préparation et ajouter le lait et les pommes. Tamiser la farine, les épices et la cannelle, et bien mélanger.

3 Garnir le moule de la préparation obtenue, parsemer d'abricots et cuire au four préchauffé 55 minutes à 1 heure, jusqu'à ce que le gâteau ait levé et que la pointe d'un couteau piquée au centre ressorte sans trace de pâte. Sortir du four, laisser tiédir 10 minutes et démouler. Retirer le papier sulfurisé, transférer sur une grille et laisser refroidir complètement.

cake à la confiture de gingembre

🍲 **cuisson : 1 heure**

🕐 **préparation : 10 min,
refroidissement : 10 min**

pour 10 personnes

*La confiture de gingembre donne une délicieuse saveur
à ce cake moelleux, idéal à l'heure du thé.*

VALEURS NUTRITIONNELLES	
Calories	399
Protéines	. . . . .5 g
Glucides	. . . . .73 g
Lipides	. . . . .23 g
Acides gras saturés	. . . . . .11 g

INGRÉDIENTS

**175 g de beurre, en pommade,
un peu plus pour graisser**

125 g de confiture de gingembre

175 g de sucre roux en poudre

3 œufs, battus

225 g de farine levante

½ cuil. à café de levure chimique

1 cuil. à café de gingembre en poudre

**100 g de noix de pécan, grossièrement
hachées**

conseil

Si la confiture commence
à brunir trop vite avant
la fin de la cuisson,
recouvrez le cake d'une feuille
de papier d'aluminium.

1 Préchauffer le four
à 180 °C (th. 6), graisser
un moule d'une contenance
de 900 g et chemiser de papier
sulfurisé. Réserver 1 cuillerée à
soupe de confiture de gingembre
dans une casserole et mélanger
la confiture restante avec le
beurre, le sucre et les œufs.

2 Tamiser le gingembre,
la farine et la levure,
mélanger jusqu'à obtention
d'une consistance homogène
et incorporer les trois quarts
des noix. Garnir le moule
de la préparation obtenue,
lisser la surface et parsemer
de noix de pécan hachées.
Cuire au four préchauffé
1 heure, jusqu'à ce que le
gâteau ait levé et que la pointe
d'un couteau piquée au centre
ressorte sans trace de pâte.

3 Laisser tiédir 10 minutes,
démouler et retirer
le papier sulfurisé. Laisser
refroidir complètement sur
une grille, chauffer la confiture
réservée à feu doux et enduire
le cake. Servir coupé en
tranches.

cake aux bananes et aux pépites de chocolat

pour 10 personnes

préparation : 25 min, ☾
refroidissement : 30 min

cuisson : 1 h 10 ♨

Un cake aux bananes délicieusement moelleux,
très apprécié des enfants pour son goût au chocolat.

INGRÉDIENTS

115 g de beurre, en pommade,
un peu plus pour graisser

175 g de farine

1 cuil. à café de bicarbonate de soude

1 pincée de sel

1 cuil. à café de cannelle en poudre

175 g de sucre roux en poudre

2 grosses bananes mûres, réduites
en purée

2 œufs, battus

5 cuil. à soupe d'eau, bouillante

175 g de pépites de chocolat noir

ACCOMPAGNEMENT

crème fouettée

décorations en chocolat

VALEURS NUTRITIONNELLES

Calories	344
Protéines	. . . . .4 g
Glucides	. . . . .83 g
Lipides	. . . . .16 g
Acides gras saturés	. . . . . .10 g

---

variante

Remplacez les pépites de chocolat
noir par du chocolat au lait, pour
un goût encore plus riche.

---

conseil

Ce gâteau étant très
moelleux, il n'est pas possible
de tester sa cuisson avec
la pointe d'un couteau,
qui ressortira toujours
collante.

1 Préchauffer le four à 160 °C (th. 5-6), graisser un moule d'une contenance de 900 g et chemiser de papier sulfurisé. Dans une jatte, tamiser la farine, le bicarbonate de soude, le sel et la cannelle, et réserver. Battre le beurre en crème avec le sucre dans une autre jatte jusqu'à ce que le mélange blanchisse.

2 Ajouter les bananes et les œufs, et mélanger jusqu'à ce que la préparation prenne un aspect caillé. Incorporer progressivement le mélange à base de farine en alternant avec l'eau bouillante jusqu'à ce que la préparation commence à s'agréger, et incorporer les pépites de chocolat.

3 Garnir le moule, lisser la surface et cuire au four préchauffé 1 h 10, jusqu'à ce que le gâteau ait levé et qu'il soit doré. Sortir du four , laisser refroidir 30 minutes et démouler. Retirer le papier sulfurisé, transférer sur une grille et laisser refroidir complètement. Servir avec de la crème fouettée décorée.

cake brillant aux fruits

cuisson : 1 h 30 à 1 h 45

préparation : 20 min, trempage et refroidissement : 8 h 20   **pour 10 personnes**

Voici un cake aux fruits riche, sucré, idéal pour les fêtes de famille ou les goûters, et parfait avec une tasse de thé.

variante

Testez d'autres types de fruits confits et de noix, en fonction de vos goûts.

INGRÉDIENTS

55 g de raisins secs

85 g d'abricots secs, grossièrement haché

55 g de dattes dénoyautées, hachées

90 ml de thé noir, froid

115 g de beurre, un peu plus pour graisser

115 g de sucre roux en poudre

2 œufs, battus

55 g d'ananas confit, grossièrement haché

175 g de farine levante, tamisée

85 g de cerises confites, coupées en deux

85 g de noix du Brésil, grossièrement hachées

GARNITURE

25 g de cerneaux de noix

25 g de noix du Brésil

55 g de cerises confites, coupées en deux

2 cuil. à soupe de confiture d'abricot, filtrée

conseil

Faites tremper les fruits séchés dans du thé noir froid pour leur redonner gonflant et jus, ce qui ajoutera de la saveur et du moelleux au cake.

1 Dans une jatte, mettre les raisins, les abricots, les dattes et le thé, couvrir et laisser tremper 8 heures. Préchauffer le four à 160 °C (th. 5-6), graisser un moule d'une contenance de 900 g et chemiser de papier sulfurisé. Dans une jatte, battre le beurre en crème avec le sucre jusqu'à ce que le mélange blanchisse.

2 Incorporer les œufs et la farine progressivement en alternant avec les fruits macérés, ajouter délicatement l'ananas, les cerises et les noix hachées, et garnir le moule de la préparation obtenue. Parsemer de cerneaux de noix, de noix du Brésil et de cerises confites.

3 Cuire au four préchauffé 1 h 30 à 1 h 45, jusqu'à ce que la pointe d'un couteau piquée au centre ressorte sans trace de pâte. Sortir du four, laisser tiédir 10 minutes et démouler. Retirer le papier sulfurisé, transférer sur une grille et laisser refroidir complètement. Réchauffer la confiture, napper le cake et servir.

pain aux dattes et au miel

pour 10 personnes

préparation : 15 min, repos et refroidissement : 1 h 50

cuisson : 30 min

Ce pain est plein de délicieuses choses – des dattes, des graines de sésame et du miel. Faites-en griller des tranches et beurrez-les.

INGRÉDIENTS

1 cuil. à soupe de beurre, pour graisser

250 g de farine, un peu plus pour pétrir

75 g de farine complète

½ cuil. à café de sel

1 sachet de levure de boulanger déshydratée

200 ml d'eau, tiédie

3 cuil. à soupe d'huile de tournesol

3 cuil. à soupe de miel liquide

75 g de dattes, dénoyautées et coupées en morceaux

2 cuil. à soupe de graines de sésame

VALEURS NUTRITIONNELLES

Calories	240
Protéines	. . . . .6 g
Glucides	. . . . .58 g
Lipides	. . . . .6 g
Acides gras saturés	. . . . . . .1 g

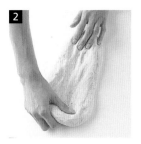

conseil

Si vous ne disposez pas de source de chaleur pour faire lever, posez la jatte sur une casserole d'eau chaude et couvrez.

1 Préchauffer le four à 220 °C (th. 7-8) et beurrer un moule à cake d'une contenance de 900 g. Dans une jatte, tamiser les farines et incorporer le sel, la levure, l'eau tiède, l'huile et le miel de façon à obtenir une pâte souple.

2 Sur un plan fariné, pétrir la pâte 5 minutes, placer dans une jatte beurrée et couvrir. Laisser lever 1 heure près d'une source de chaleur jusqu'à ce qu'elle double de volume.

3 Incorporer les dattes et les graines de sésame, pétrir et placer dans le moule. Couvrir et laisser lever 30 minutes près d'une source de chaleur, jusqu'à obtention d'une texture élastique.

4 Cuire au four préchauffé 30 minutes, jusqu'à ce que sa base sonne creux.

5 Sortir du four, démouler et transférer sur une grille. Laisser refroidir complètement et servir le pain aux dattes et au miel coupé en tranches épaisses.

cake au potiron

cuisson : 2 heures

préparation : 30 min, refroidissement : 1 heure

pour 6 personnes

La purée de potiron empêche le cake de se dessécher à la cuisson.
Vous pouvez le déguster à toute heure de la journée.

VALEURS NUTRITIONNELLES	
Calories	.456
Protéines	.7 g
Glucides	.95 g
Lipides	.21 g
Acides gras saturés	.12 g

INGRÉDIENTS

huile, pour graisser

450 g de chair de potiron

125 g de beurre, en pommade

175 g de sucre en poudre

2 œufs, battus

225 g de farine, tamisée

1 cuil. à café ½ de levure chimique

½ cuil. à café de sel

1 cuil. à café de mélange d'épices
en poudre

25 g de graines de potiron

conseil

Pour sécher la purée
de potiron, faites-la chauffer
dans une casserole à feu
moyen quelques minutes
en remuant souvent, jusqu'à
ce qu'elle épaississe.

1 Préchauffer le four à 200 °C (th. 6-7) et huiler un moule à cake d'une contenance de 900 g.

2 Couper le potiron en gros morceaux, envelopper de papier d'aluminium beurré et cuire au four préchauffé 30 à 40 minutes. Laisser refroidir et réduire en purée épaisse et homogène.

3 Dans une jatte, battre le beurre en crème avec le sucre jusqu'à ce que le mélange blanchisse, ajouter les œufs progressivement en battant après chaque ajout et incorporer à la purée de potiron. Ajouter la farine, la levure, le sel et le mélange d'épices en poudre.

4 Incorporer délicatement les graines de potiron

à la préparation précédente et garnir le moule.

5 Cuire au four préchauffé, à 160 °C (th. 5-6), 1 h 15 à 1 h 30, jusqu'à ce que la pointe d'un couteau piquée au centre ressorte sans trace de pâte. Sortir du four, laisser refroidir le cake et servir tartiné de beurre.

tartes, tourtes et petits fours

Les recettes de pâte à tarte proposées sont simples, surtout en les préparant au robot de cuisine. Mais même si la pâtisserie vous impressionne, ne boudez pas le plaisir d'essayer ces tartes que l'on peut réaliser avec des pâtes prêtes à l'emploi !

Vous trouverez dans les pages suivantes des recettes provenant des quatre coins du monde, comme la tarte sicilienne à la ricotta (page 129) fraîche et légère, la traditionnelle tarte aux noix de pécan (page 108) américaine et un délicieux baklava (page 118), spécialité grecque. En général, les recettes les plus simples utilisent de la pâte filo, pour envelopper des fruits comme dans le strudel aux poires et aux noix de pécan (page 128), sans qu'il soit nécessaire d'abaisser la pâte ou de foncer des moules à tarte. Il y a des tartes pour toutes les occasions : tarte à la mélasse et à l'orange (page 117) ou tarte à la noix de coco (page 106) pour un repas de famille ; tarte au citron (page 114), très en vogue, tarte chocolatée aux marrons et gingembre (page 130), un dessert riche à réserver pour un repas de fête. Il suffit de regarder les tartelettes pour les trouver appétissantes. Servez-les en dessert ou pour accompagner un thé : essayez les tartelettes aux fruits d'été (page 126) ou les éclairs aux framboises (page 122). Vous trouverez également des recettes salées, que vous pouvez servir de multiples façons. Les samosas au crabe et au gingembre (page 134) accompagnent délicieusement les apéritifs, les tartelettes en pâte filo farcies à l'avocat (page 135) et les mini-choux fourrés au cocktail de crevettes (page 136) constituent une entrée idéale. Accompagnées d'une salade verte, les tartelettes grecques à la féta et aux olives (page 138) feront un déjeuner rapide et simple.

chaussons à la banane

🍳 **cuisson : 25 min**

🕐 **préparation : 20 min,
réfrigération : 30 min**

pour 4 personnes

VALEURS NUTRITIONNELLES

Calories 745

Protéines . . . . .13 g

Glucides . . . . .136 g

Lipides . . . . .30 g

Acides gras saturés . . . . . .15 g

variante

Utilisez la garniture de votre choix,
pommes et prunes, par exemple.
Remplacez la noix muscade par
de la coriandre.

*Vous ne regretterez pas d'avoir passé du temps à préparer
ces petits chaussons à la banane et aux abricots secs.*

INGRÉDIENTS

PÂTE	GARNITURE
450 g de farine, un peu plus pour abaisser la pâte	2 grosses bananes
60 g de saindoux	75 g d'abricots secs, finement hachés
60 g de beurre	1 pincée de noix muscade en poudre
125 ml d'eau	1 filet de jus d'orange
	1 jaune d'œuf, battu
	sucre glace, pour saupoudrer

conseil

Vous pouvez enduire la pâte
d'une ou deux cuillerées
à soupe de lait à la place
de l'œuf battu. Une fois cuite,
la pâte prendra une jolie
coloration dorée.

1 Pour la pâte, tamiser
la farine dans une jatte,
ajouter le saindoux et le beurre,
et incorporer la farine avec
les doigts de façon à obtenir
une consistance de chapelure.
Incorporer progressivement
l'eau jusqu'à obtention
d'une pâte souple, envelopper
de film alimentaire et mettre
au réfrigérateur 30 minutes.

2 Pour la garniture,
réduire les bananes
en purée à l'aide d'une
fourchette et incorporer
la noix muscade, les abricots
et le jus d'orange.

3 Sur un plan fariné,
abaisser la pâte
et découper 16 ronds
de 10 cm de diamètre.

4 Disposer une cuillerée
de garniture sur
la moitié des ronds, replier
la pâte de façon à obtenir
des demi-lunes et souder
les bords en appuyant à l'aide
d'une fourchette. Disposer
les chaussons sur une plaque
de four antiadhésive, dorer
à l'œuf battu et pratiquer une
incision dans les chaussons.

Cuire au four préchauffé,
à 180 °C (th. 6), 25 minutes,
jusqu'à ce que les chaussons
soient dorés, sortir du four
et saupoudrer de sucre glace.

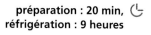

tartelettes à la crème brûlée

pour 6 personnes

préparation : 20 min,
réfrigération : 9 heures

cuisson : 25 min

Ces tartelettes originales fondent littéralement dans la bouche.
Servez-les accompagnées de fruits rouges et de crème fouettée,
si vous le souhaitez.

INGRÉDIENTS

PÂTE

150 g de farine, un peu plus
pour abaisser la pâte
25 g de sucre en poudre
125 g de beurre, coupé en dés
1 cuil. à soupe d'eau

GARNITURE

4 jaunes d'œufs
50 g de sucre en poudre
400 ml de crème fraîche épaisse
1 cuil. à café d'extrait de vanille
sucre roux en poudre, pour saupoudrer

VALEURS NUTRITIONNELLES

Calories	.635
Protéines	.6 g
Glucides	.53 g
Lipides	.53 g
Acides gras saturés	.32 g

conseil

Pour de meilleurs résultats,
utilisez du beurre froid coupé
en dés de même taille.
Assurez vous que le beurre
sort bien du réfrigérateur car
il sera plus facile à manipuler.

1 Dans une jatte, mettre la farine et le sucre, incorporer le beurre avec les doigts de façon à obtenir une consistance de chapelure et ajouter l'eau de façon à obtenir une pâte souple. Envelopper de film alimentaire et mettre au réfrigérateur 30 minutes.

2 Foncer des moules à tartelette de 10 cm de diamètre, piquer la pâte à l'aide d'une fourchette et mettre au réfrigérateur 20 minutes.

3 Couvrir les fonds de tarte de papier d'aluminium et de haricots secs, cuire au four préchauffé, à 190 °C (th. 6-7), 15 minutes, et retirer le papier d'aluminium et les haricots secs. Cuire encore 10 minutes,

jusqu'à ce que les fonds de tarte soient dorés. Dans une jatte, mettre les jaunes d'œufs et le sucre, et battre jusqu'à ce que le mélange blanchisse. Dans une casserole, mettre la crème et la vanille, chauffer sans laisser bouillir et ajouter au mélange précédent. Transférer le mélange obtenu dans une casserole, chauffer sans cesser de remuer jusqu'à ce que la préparation

épaississe, sans laisser bouillir, et laisser tiédir. Garnir les fonds de tartelettes, laisser refroidir complètement et mettre au réfrigérateur une nuit

4 Saupoudrer les tartelettes de sucre roux, passer au gril préchauffé quelques minutes et laisser refroidir. Mettre au réfrigérateur 2 heures et servir.

feuilletés aux fruits

⏲ **cuisson : 15 min**   ◔ **préparation : 20 min**   **pour 4 personnes**

Ces petits feuilletés originaux et croustillants sont pauvres en calories.
Garnis de fruits et nappés de confiture d'abricots, ils sont meilleurs
servis chauds, accompagnés de crème anglaise allégée.

VALEURS NUTRITIONNELLES

Calories 158

Protéines . . . . .2 g

Glucides . . . . .26 g

Lipides . . . . .10 g

Acides gras saturés . . . . . . .2 g

INGRÉDIENTS

1 pomme à couteau

1 poire mûre

2 cuil. à soupe de jus de citron

55 g de margarine allégée, fondue,
un peu plus pour graisser

4 feuilles rectangulaires de pâte filo

1 cuil. à soupe de jus d'orange
sans sucre ajouté

2 cuil. à soupe de confiture d'abricots
allégée

1 cuil. à café de pistaches hachées

2 cuil. à café de sucre glace

crème anglaise, en accompagnement

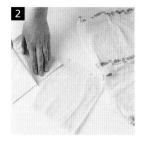

variante

D'autres combinaisons
sont également délicieuses :
essayez pêche et abricot,
framboise et pomme,
ou ananas et mangue.

1 Préchauffer le four
à 200 °C (th. 6-7). Évider
la pomme et la poire, couper
en tranches fines et arroser de
jus de citron de façon à éviter
qu'elles noircissent.

2 Couper les feuilles
de pâte filo en quatre
et les couvrir d'un torchon
humide. Enduire des moules
à tartelette de 10 cm de diamètre
de margarine allégée.

3 Pour chaque feuilleté,
enduire 4 feuilles de pâte
de margarine fondue, en disposer
une au fond d'un moule
et répartir les autres dessus en
les décalant légèrement sur
le pourtour du moule. Alterner
les tranches de pomme et
de poire dans chaque moule
et froncer légèrement les bords
de la pâte de chaque feuilleté.

4 Délayer la confiture
dans le jus d'orange
de façon à obtenir un mélange
onctueux, enduire les fruits
et cuire au four préchauffé,
à 200 °C (th. 6-7), 12 à
15 minutes. Sortir du four,
parsemer de pistaches et
saupoudrer de sucre glace.
Servir chaud accompagné
de crème anglaise allégée.

tarte à la noix de coco

pour 8 personnes

préparation : 25 min,
refroidissement : 1 heure

cuisson : 55 min

La noix de coco donne à cette tarte tout son moelleux,
ce qui la rend idéale après un repas copieux.

INGRÉDIENTS

beurre, pour graisser

farine, pour abaisser la pâte

pâte brisée sucrée (page 13)

GARNITURE

2 œufs

zeste râpé et jus de 2 citrons

200 g de sucre roux en poudre

375 ml de crème fraîche épaisse

250 g de noix de coco déshydratée,
râpé

VALEURS NUTRITIONNELLES

Calories 772

Protéines . . . . .7 g

Glucides . . . . .97 g

Lipides . . . . .58 g

Acides gras saturés . . . . . .40 g

variante

Ajoutez ½ cuillerée à café de noix
muscade râpée à la garniture pour
lui donner une saveur légèrement
différente.

conseil

Accompagnez cette tarte
d'un coulis frais de fruits
de la passion, pour un dessert
exquis et exceptionnel.
Vous trouverez facilement
la noix de coco déshydratée
en supermarché.

1 Préchauffer le four à
200 °C (th. 6-7), graisser
un moule à tarte de 23 cm
de diamètre et abaisser la pâte
sur un plan fariné pour foncer
le moule. Cuire la pâte à blanc,
réduire à 160 °C (th. 5-6)
la température du four
et préchauffer une plaque.

2 Dans une jatte, mettre
les œufs, le zeste de
citron et le sucre, mélanger
1 minute et incorporer la crème
fraîche épaisse, le jus de citron
et la noix de coco délicatement.

3 Garnir le fond de tarte
de la préparation,

disposer sur la plaque et cuire
au four préchauffé 10 minutes,
jusqu'à ce que la tarte soit
dorée et qu'elle ait pris. Sortir
du four, laisser tiédir 1 heure,
jusqu'à ce qu'elle prenne
complètement, et servir
immédiatement.

tarte aux noix de pécan

pour 8 personnes　　　　**préparation : 25 min**　　　　**cuisson : 50 min à 1 h 05**

La tarte aux noix de pécan est une variante américaine
de la traditionnelle tarte à la mélasse et constitue un copieux dessert.

INGRÉDIENTS

beurre, pour graisser

farine, pour abaisser la pâte

pâte brisée sucrée (page 13)

GARNITURE

3 œufs

225 g de sucre roux en poudre

1 cuil. à café d'extrait de vanille

1 pincée de sel

85 g de beurre, fondu

3 cuil. à soupe de sirop de sucre
de canne

3 cuil. à soupe de mélasse

225 g de noix de pécan, grossièrement
hachées

cerneaux de noix de pécan,
en garniture

crème ou glace à la vanille,
en accompagnement

variante

Pour les grandes occasions, décorez
cette tarte de crème fouettée
à l'aide d'une poche à douille.

conseil

Si la pâte brunit trop vite
pendant la cuisson,
recouvrez-la d'une feuille
de papier d'aluminium.

1 Préchauffer le four à
200 °C (th. 6-7), graisser
un moule à tarte de 23 à 25 cm
de diamètre et abaisser la pâte
sur un plan fariné pour foncer
le moule. Cuire la pâte à blanc,
réduire la température du four
à 180 °C (th. 6) et préchauffer
une plaque.

2 Dans une jatte, battre
légèrement les œufs,
incorporer le sucre, l'extrait
de vanille et le sel sans cesser
de battre, et incorporer le beurre,
le sirop de sucre de canne,
la mélasse et les noix hachées.
Garnir le fond de tarte
et décorer de noix de pécan.

3 Disposer la tarte sur
la plaque, cuire au four
préchauffé 35 à 40 minutes,
jusqu'à ce qu'elle ait pris,
et servir chaud ou tiède
accompagné de crème
ou de la glace à la vanille.

tarte à la crème

pour 8 personnes

préparation : 15 min,
réfrigération : 1 heure

cuisson : 1 heure

*Cette traditionnelle tarte à la crème est meilleure
servie très froide.*

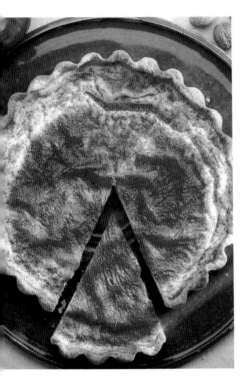

INGRÉDIENTS

PÂTE

150 g de farine, un peu plus
pour abaisser la pâte

25 g de sucre en poudre

125 g de beurre, coupé en dés

1 cuil. à soupe d'eau

GARNITURE

3 œufs

150 ml de crème fraîche liquide

150 ml de lait

noix muscade, fraîchement râpée

VALEURS NUTRITIONNELLES	
Calories	.268
Protéines	.5 g
Glucides	.25 g
Lipides	.19 g
Acides gras saturés	.12 g

conseil

Cuire le fond de tarte à blanc
permet à la pâte d'être bien
croustillante. Si vous n'avez
pas de papier d'aluminium,
utilisez du papier sulfurisé.

1 Pour la pâte, mélanger
la farine et le sucre dans
une jatte et incorporer le beurre
avec les doigts de façon
à obtenir une consistance
de chapelure.

2 Ajouter l'eau, mélanger
jusqu'à obtention d'une
pâte souple et envelopper

de film alimentaire. Mettre
au réfrigérateur 30 minutes.

3 Sur un plan fariné,
abaisser la pâte pour
foncer un moule à tarte à fond
amovible de 24 cm de diamètre,
piquer à l'aide d'une fourchette
et mettre au réfrigérateur
30 minutes.

4 Recouvrir la pâte
de papier d'aluminium
et de haricots secs et cuire à blanc
au four préchauffé, à 190 °C
(th. 6-7), 15 minutes. Retirer le
papier d'aluminium et les haricots
secs, et cuire 15 minutes.

5 Dans une jatte, mettre
les œufs, la crème,

le lait et la noix muscade,
battre et garnir le fond de tarte
de la préparation obtenue.
Cuire au four préchauffé
25 à 30 minutes, jusqu'à
ce que la garniture soit prise,
sortir du four et servir.

tartelettes aux poires et au gingembre

cuisson : 20 min

**préparation : 10 min,
réfrigération : 30 min**

pour 6 personnes

*Ces tartes sont préparées à l'aide de pâte prête à l'emploi
pour un dessert aussi rapide à faire que délicieux à déguster.*

VALEURS NUTRITIONNELLES	
Calories 250	
Protéines . . . . .3 g	
Glucides . . . . .45 g	
Lipides . . . . .14 g	
Acides gras saturés . . . . . . .3 g	

INGRÉDIENTS

**250 g de pâte feuilletée
prête à l'emploi,
décongelée si nécessaire
25 g de beurre, un peu plus
pour graisser
25 g de sucre roux en poudre
1 cuil. à soupe de gingembre confit,
finement haché
3 poires, pelées et évidées
crème fraîche, en accompagnement**

variante

Vous pouvez servir
ces tartelettes avec
des boules de glace
à la vanille.

1 Sur un plan fariné,
abaisser la pâte,
découper 6 ronds de 10 cm
de diamètre et disposer sur
une plaque de four. Mettre
au réfrigérateur 30 minutes.

2 Dans une jatte, battre
le beurre en crème
avec le sucre et incorporer
le gingembre. Piquer les ronds
à l'aide d'une fourchette

et napper de crème au
gingembre.

3 Couper les poires
en deux et en tranches
dans la longueur, sans couper
la pointe, et écarter en éventail.
Disposer les demi-poires sur
les ronds, dessiner de fines
rainures sur les bords de la pâte
et enduire de beurre fondu
à l'aide d'un pinceau.

4 Cuire au four
préchauffé, à 200 °C
(th. 6-7), 15 à 20 minutes,
jusqu'à ce que la pâte soit
levée et dorée, sortir du four
et servir chaud avec de la crème
fraîche.

tarte aux prunes et aux amandes

🕐 **cuisson : 50 min à 1 h 05**   🕐 **préparation : 30 min**   **pour 8 personnes**

VALEURS NUTRITIONNELLES

Calories 530

Protéines . . . . .8 g

Glucides . . . . .99 g

Lipides . . . . .29 g

Acides gras saturés . . . . . .14 g

variante

Vous pouvez remplacer les prunes par des abricots, des cerises ou des poires coupées en deux puis émincées.

Les arômes des prunes et des amandes se mélangent originalement dans cette exquise tarte, qui se déguste chaude.

INGRÉDIENTS

beurre, pour graisser	140 g de sucre roux en poudre
farine, pour abaisser la pâte	55 g de beurre, fondu
pâte brisée sucrée (page 13)	100 g de poudre d'amandes
	1 cuil. à soupe de cognac
GARNITURE	900 g de prunes, coupées en deux
1 œuf	et dénoyautées
1 jaune d'œuf	crème fouettée, en accompagnement
	(facultatif)

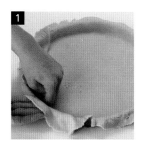

conseil

Comme les prunes réduisent à la cuisson, veillez à ce que les moitiés soient de taille équivalente et à ne pas laisser d'intervalles trop importants entre elles.

1 Préchauffer le four à 200 °C (th. 6-7), graisser un moule à tarte de 23 cm de diamètre et abaisser la pâte sur un plan fariné pour foncer le moule. Cuire la pâte à blanc et préchauffer une plaque de four.

2 Dans une jatte, mettre l'œuf, le jaune d'œuf, 100 g du sucre, le beurre fondu, la poudre d'amandes et le cognac, mélanger jusqu'à obtention d'une pâte et garnir le fond de tarte de la préparation obtenue.

3 Répartir les prunes sur la pâte, côté peau vers le bas, saupoudrer de sucre et disposer sur la plaque. Cuire au four préchauffé 35 à 40 minutes, jusqu'à ce que la tarte soit dorée, sortir du four et servir chaud, nappé de crème.

tarte au citron

pour 6 personnes

préparation : 20 min, ⏱
refroidissement : 15 min

cuisson : 40 à 55 min ⏱

Cette tarte lisse et crémeuse, au goût frais de citron,
parachève merveilleusement un dîner de fête.

INGRÉDIENTS

beurre, pour graisser

farine, pour abaisser la pâte

pâte sablée (page 13)

GARNITURE

1 gros œuf

4 gros jaunes d'œufs

140 g de sucre roux en poudre

zeste finement râpé et jus de 4 citrons
(soit 150 ml)

150 ml de crème fraîche épaisse

sucre glace, pour saupoudrer

VALEURS NUTRITIONNELLES

Calories 580

Protéines . . . . .8 g

Glucides . . . . .92 g

Lipides . . . . .34 g

Acides gras saturés . . . . . .20 g

variante

Réservez un peu de zestes de citron
et décorez-en la tarte cuite.

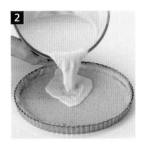

conseil

La surface de la tarte ne doit
pas brunir. Si vous voyez
qu'elle commence à foncer
pendant la cuisson,
recouvrez-la d'une feuille
de papier d'aluminium.

1 Préchauffer le four à
200 °C (th. 6-7), graisser
un moule à tarte de 23 cm
de diamètre et abaisser la pâte
sur un plan fariné pour foncer
le moule. Cuire la pâte à blanc,
réduire la température du four
à 160 °C (th. 5-6) et préchauffer
une plaque.

2 Dans une jatte, mettre
l'œuf, les jaunes et le
sucre, battre jusqu'à obtention
d'un mélange lisse et incorporer
la crème fraîche, le zeste et le jus
de citron. Garnir le fond de tarte
de la moitié de la préparation,
disposer sur la plaque et verser
la préparation restante.

3 Cuire la tarte au four
préchauffé 25 à
30 minutes, jusqu'à ce qu'elle
ait pris, sortir du four et laisser
refroidir 15 minutes. Démouler,
saupoudrer de sucre glace
et servir chaud ou froid.

tarte Tatin aux poires et à la cardamome

pour 4 personnes **préparation : 20 min** **cuisson : 30 à 35 min**

Cette recette est une variante de la tarte aux pommes traditionnelle des sœurs Tatin. Elle fut inventée par inadvertance lorsque l'une d'elles renversa la tarte en la mettant au four et la fit cuire à l'envers !

INGRÉDIENTS

55 g de beurre, en pommade

55 g de sucre roux en poudre

graines de 10 gousses de cardamome

farine, pour abaisser la pâte

225 g de pâte feuilletée,

fraîche ou décongelée

3 poires mûres

crème fouettée, en accompagnement

VALEURS NUTRITIONNELLES

Calories	414
Protéines	. . . . .4 g
Glucides	. . . . .73 g
Lipides	. . . . .25 g
Acides gras saturés	. . . . . . .7 g

conseil

Il vaut mieux choisir de grosses poires rondes pour cette tarte aux fruits, plutôt que les variétés plus allongées. Prenez des poires mûres pas trop fermes.

1 Préchauffer le four à 220 °C (th. 7-8). Étaler le beurre dans un moule de 18 cm de diamètre, répartir le sucre uniformément sur le beurre et ajouter la cardamome. Sur un plan fariné, abaisser la pâte en un rond de 20 cm de diamètre, piquer et réserver au réfrigérateur sur une assiette.

2 Peler les poires, couper en deux dans la longueur et évider. Disposer sur le beurre et le sucre, côté coupé vers le haut, et chauffer à feu moyen jusqu'à ce que le sucre soit dissous et caramélise avec le beurre et le jus des poires, en déplaçant le moule sans remuer le contenu si certains côtés brunissent plus vite que d'autres. Retirer délicatement le moule du feu.

3 Disposer la pâte sur les poires en enfonçant les bords le long des parois du moule, cuire au four préchauffé 25 minutes, jusqu'à ce que la pâte ait levé et soit dorée, et laisser tiédir 2 à 3 minutes dans le moule, jusqu'à ce que les jus aient cessé de frémir.

4 Retourner le moule sur un plat de service, secouer pour libérer la tarte en passant une spatule sous les poires de façon à les dégager et servir chaud, accompagné de crème fouettée.

tarte à la mélasse et à l'orange

cuisson : 30 min   **préparation : 20 min**   **pour 6 personnes**

Cette tarte à la mélasse agrémentée de chapelure
révèle une texture exquise et sera un dessert très apprécié
par toute la famille.

VALEURS NUTRITIONNELLES	
Calories 275	
Protéines . . . . .3 g	
Glucides . . . . .77 g	
Lipides . . . . .8 g	
Acides gras saturés . . . . . . .4 g	

INGRÉDIENTS

beurre, pour graisser
farine, pour abaisser la pâte
pâte brisée (page 13)

GARNITURE
125 ml de mélasse
zeste finement râpé d'une orange
1 cuil. à soupe de jus d'orange
6 cuil. à soupe de chapelure blanche
fraîche

conseil

Lorsque vous sortez la tarte du four, la garniture doit être encore tendre si vous souhaitez consommer cette tarte froide, car elle durcit en refroidissant.

1 Graisser un moule à tarte de 20 cm de diamètre, abaisser la pâte sur un plan fariné pour foncer le moule et réserver les chutes. Préchauffer le four à 190 °C (th. 6-7), mettre la mélasse, le zeste et le jus d'orange dans une casserole et chauffer à feu doux sans cesser de remuer jusqu'à obtention d'une consistance liquide.

2 Retirer la casserole du feu, incorporer la chapelure et laisser reposer 10 minutes, jusqu'à ce que la préparation ait été absorbée par la chapelure. Ajouter de la mélasse si la préparation semble trop épaisse ou de la chapelure si elle semble trop liquide, de sorte qu'elle ait la consistance d'un miel épais, et répartir la préparation sur le fond de tarte.

3 Abaisser les chutes de pâte, découper en fines bandes et les disposer sur la tarte en croisillons. Cuire au four préchauffé 30 minutes, jusqu'à ce que la préparation soit presque prise et que les bords de la pâte soient dorés, sortir du four et servir chaud ou froid.

baklavas

pour 20 baklavas

préparation : 30 min, ⏲
refroidissement : 30 min

cuisson : 40 à 50 min ⏲

Le baklava est une pâtisserie traditionnelle grecque, très sucrée et fourrée de fruits à écales. Servez-la en dessert ou avec le café.

INGRÉDIENTS

115 g d'amandes, blanchies

115 g de noix

55 g de pistaches, décortiquées

55 g de sucre roux

1 cuil. à café de cannelle en poudre

½ cuil. à café de noix muscade
fraîchement râpée

55 g de beurre, fondu, un peu plus
pour graisser

12 feuilles de pâte filo prêtes à l'emploi
d'environ 30 x 18 cm

SIROP

225 g de sucre cristallisé

150 ml d'eau

1 cuil. à soupe de jus de citron

1 cuil. à soupe d'eau de fleur d'oranger

VALEURS NUTRITIONNELLES

Calories 190

Protéines . . . . .3 g

Glucides . . . . .35 g

Lipides . . . . .11 g

Acides gras saturés . . . . . . .2 g

variante

Choisissez votre mélange préféré de fruits à écales. Pourquoi pas des noix du Brésil ou des noix de pécan ?

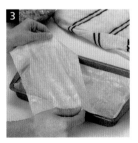

conseil

Lorsque vous hachez les amandes et les pistaches dans le robot de cuisine, veillez à ne pas les réduire en poudre car le baklava doit être croquant.

1 Pour le sirop, mettre le sucre, l'eau et le jus de citron dans une casserole, chauffer à feu doux sans cesser de remuer jusqu'à ce que le sucre soit dissous et laisser bouillir 5 minutes, jusqu'à obtention d'une consistance sirupeuse. Ajouter l'eau de fleur d'oranger, faire bouillir encore 2 minutes et laisser refroidir.

2 Dans un robot de cuisine, mixer le tiers des noix, des amandes et des pistaches, hacher grossièrement le reste et mettre le tout dans une jatte avec le sucre, la noix muscade et la cannelle.

3 Graisser un moule aux dimensions des feuilles de pâte filo et préchauffer le four à 180 °C (th. 6). Enduire de beurre une feuille de pâte, la disposer au fond du moule et répéter l'opération avec 3 autres feuilles. Répartir un tiers de la préparation sur les feuilles, couvrir avec 2 autres feuilles de pâte beurrées et un autre tiers de préparation, et répéter l'opération. Recouvrir avec 4 feuilles de pâte beurrées.

4 Découper la couche supérieure en losanges, cuire au four préchauffé 30 à 40 minutes, jusqu'à ce que le baklava soit croustillant et doré, et sortir du four. Napper de sirop, laisser refroidir complètement et découper en losanges.

tarte au citron vert et à la noix de coco

pour 6 personnes   **préparation : 30 min**   **cuisson : 40 à 50 min**

*Le lait de coco ajoute une saveur antillaise
à cette variante de la traditionnelle tarte au citron meringuée.*

INGRÉDIENTS

beurre, pour graisser

farine, pour abaisser la pâte

pâte brisée (page 13)

GARNITURE

4 cuil. à soupe de maïzena

400 ml de lait de coco en boîte

zeste râpé et jus de 2 citrons verts

2 gros œufs, blancs et jaunes séparés

175 g de sucre en poudre

zeste d'un citron vert, pour décorer

variante

Ajoutez une cuillerée à café de liqueur de coco à la préparation en même temps que le sucre à l'étape 2, si vous le souhaitez.

conseil

Faites bien attention à ne pas trop cuire la meringue, sinon elle durcira et séchera au lieu d'être délicieusement moelleuse.

1 Préchauffer le four à 200 °C (th. 6-7), graisser un moule à tarte de 23 cm de diamètre et abaisser la pâte sur un plan fariné pour foncer le moule. Cuire la pâte à blanc, réduire la température du four à 160 °C (th. 5-6) et préchauffer une plaque.

2 Dans une casserole, mettre la maïzena et un peu de lait de coco, mélanger jusqu'à obtention d'une pâte et incorporer le lait restant. Porter à ébullition sans cesser de remuer, cuire 3 minutes à feu moyen, jusqu'à ce que la préparation épaississe,

et retirer du feu. Ajouter 50 g de sucre, les jaunes d'œufs, le zeste et le jus de citron, et garnir le moule de la préparation.

3 Dans une jatte, monter les blancs en neige, incorporer progressivement le sucre restant et répartir

la meringue sur la préparation, en formant des volutes à l'aide d'une spatule. Cuire au four préchauffé 20 minutes, jusqu'à ce que la meringue soit légèrement dorée, sortir du four et décorer de zeste de citron vert. Servir chaud ou froid.

éclairs aux framboises

pour 8 éclairs | **préparation : 30 min,** ⏲ | **cuisson : 40 min** ⏲
repos : 15 min

*Ces éclairs sont parfaits en dessert
ou pour accompagner un thé en plein été.*

INGRÉDIENTS

PÂTE À CHOUX

55 g de beurre

150 ml d'eau

70 g de farine, tamisée

2 œufs, battus

GARNITURE

325 ml de crème fraîche

1 cuil. à soupe de sucre glace

175 g de framboises fraîches

GLAÇAGE

115 g de sucre glace

2 cuil. à café de jus de citron

colorant alimentaire rose (facultatif)

VALEURS NUTRITIONNELLES

Calories 141

Protéines . . . . .2 g

Glucides . . . . .18 g

Lipides . . . . .11 g

Acides gras saturés . . . . . . .6 g

variante

Utilisez toutes sortes de fruits d'été
frais, comme des fraises coupées
en deux, pour ces éclairs.

conseil

Vous pouvez préparer les éclairs
non cuits quelques jours
à l'avance et les congeler, puis
les faire cuire directement
à la sortie du congélateur
en augmentant la durée
de cuisson de 5 minutes.

1 Préchauffer le four
à 200 °C (th. 6-7).
Pour la pâte à choux, mettre
l'eau et le beurre dans
une casserole à fond épais,
porter à ébullition et ajouter
la farine en une seule fois
en battant jusqu'à ce que
la préparation se détache
des parois de la casserole.
Laisser tiédir et ajouter les œufs
un par un en battant bien.

2 Transférer la préparation
dans une poche à douille
munie d'un embout de 1 cm,
façonner des éclairs de 8 cm
sur des plaques de four humides
et cuire au four préchauffé
30 minutes, jusqu'à ce que
les éclairs soient légèrement
croustillants et dorés. Sortir
du four, percer les éclairs
à l'aide d'un couteau de sorte
que la vapeur s'échappe

et remettre 5 minutes au four,
jusqu'à ce que l'intérieur soit
sec. Laisser refroidir sur une
grille.

3 Dans une jatte, mettre
la crème et le sucre
glace, et fouetter jusqu'à
ce que la préparation épaississe.
Fendre les éclairs en deux
et les garnir de la préparation
obtenue et de framboises.

Pour le glaçage, délayer le sucre
glace dans le jus de citron,
ajouter de l'eau de façon
à obtenir une pâte lisse
et incorporer éventuellement
le colorant. Napper les éclairs,
laisser le glaçage prendre
et servir.

tarte aux dattes et aux abricots

pour 8 personnes

préparation : 15 min,
réfrigération : 30 min

cuisson : 50 min

Il n'est pas nécessaire de rajouter du sucre à la garniture de cette délicieuse tarte végétarienne car les fruits secs sont déjà très sucrés.

INGRÉDIENTS

225 g de farine complète

50 g de fruits à écale, moulus

100 g de margarine, coupée en dés

4 cuil. à soupe d'eau

225 g d'abricots secs, coupés en dés

**225 g de dattes, dénoyautées
et coupées en morceaux**

425 ml de jus de pomme

zeste râpé d'un citron

1 cuil. à café de cannelle en poudre

crème de soja, en accompagnement

VALEURS NUTRITIONNELLES

Calories	359
Protéines	. . . . .7 g
Glucides	. . . . .87 g
Lipides	. . . . .15 g
Acides gras saturés	. . . . . . .2 g

2

4

4

conseil

Contentez-vous d'humecter les bords de la pâte lorsque vous soudez les bandelettes en treillis pour éviter que la pâte soit trop ramollie.

1 Dans une jatte, mettre la farine et les fruits à écale, incorporer la margarine avec les doigts de façon à obtenir une consistance de chapelure et ajouter l'eau. Mélanger jusqu'à obtention d'une pâte, envelopper et mettre au réfrigérateur 30 minutes.

2 Dans une casserole, mettre les abricots

et les dattes, ajouter le jus de pomme, la cannelle et le zeste de citron, et porter à ébullition. Couvrir, laisser mijoter 15 minutes, jusqu'à ce que les fruits soient tendres, et réduire en purée.

3 Réserver une petite quantité de pâte et abaisser la pâte restante sur un plan fariné pour foncer

un moule à tarte de 24 cm de diamètre.

4 Garnir le fond de tarte avec la purée de fruits. Abaisser la pâte restante, couper des bandelettes de 1 cm de largeur et de la longueur du diamètre du moule, et les torsader. Disposer en treillis sur la tarte, humecter les extrémités des bandes et

souder aux bords de la pâte. Cuire au four préchauffé, à 210 °C (th. 7), 25 à 30 minutes, jusqu'à ce que la tarte soit bien dorée, sortir du four et découper en parts. Servir avec de la crème de soja.

tarte à la rhubarbe

🕐 **cuisson : 35 min**

🕐 **préparation : 15 min,
réfrigération : 30 min**

pour 8 personnes

*Pour confectionner cette délicieuse tarte, il suffit de rabattre
les bords de la pâte pour enfermer la garniture.*

VALEURS NUTRITIONNELLES

Calories 229	
Protéines . . . . .4 g	
Glucides . . . . .43 g	
Lipides . . . . .11 g	
Acides gras saturés . . . . . . .7 g	

INGRÉDIENTS

100 g de beurre, coupé en dés, un peu
plus pour graisser
175 g de farine, un peu plus
pour abaisser la pâte
1 cuil. à soupe d'eau
1 œuf, blanc et jaune séparés
sucre en morceaux, concassé,
pour parsemer

GARNITURE

600 g de fruits, parés (rhubarbe, prunes
ou groseilles à maquereau, par exemple)
85 g de sucre roux en poudre
1 cuil. à soupe de gingembre en poudre

conseil

Ne vous inquiétez pas
si la pâte se fend lorsque
vous la manipulez –
ressoudez-là tout simplement
car elle doit, au final, être
épaisse.

1 Beurrer une plaque
de four. Dans une jatte,
mettre la farine, incorporer le
beurre avec les doigts de façon
à obtenir une consistance
de chapelure et ajouter l'eau.
Mélanger jusqu'à obtention
d'une pâte, couvrir et mettre
au réfrigérateur 30 minutes.

2 Préchauffer le four
à 200 °C (th. 6-7).

Sur un plan fariné, abaisser
la pâte en un rond de 35 cm
de diamètre, transférer sur
la plaque de four et enduire
de jaune d'œuf.

3 Pour la garniture,
mélanger les fruits,
le sucre roux et le gingembre
en poudre, répartir au centre
de la pâte et rabattre les bords
de la pâte sur la garniture.

Enduire la pâte de blanc
d'œuf et parsemer de cristaux
de sucre.

4 Cuire au four préchauffé
35 minutes, jusqu'à
ce que la tarte soit dorée,
sortir du four et transférer
sur un plat de service. Servir
immédiatement.

tartelettes aux fruits d'été

pour 12 tartelettes

préparation : 25 min, réfrigération : 30 min

cuisson : 12 à 18 min

Ces petits fonds de tarte aux amandes garnis de fruits d'été aux couleurs éclatantes et aux saveurs délicates sont délicieux.

INGRÉDIENTS

PÂTE

200 g de farine, un peu plus
pour abaisser la pâte

85 g de sucre glace

55 g de poudre d'amandes

115 g de beurre

1 jaune d'œuf

1 cuil. à soupe de lait

GARNITURE

225 g de fromage blanc

sucre glace, un peu plus
pour saupoudrer

350 g de fruits d'été frais (groseilles
blanches et rouges, myrtilles,
framboises et petites fraises)

VALEURS NUTRITIONNELLES

Calories	.280
Protéines	.4 g
Glucides	.33 g
Lipides	.20 g
Acides gras saturés	.11 g

variante

Vous pouvez enduire les fruits des tartelettes avec de la gelée de groseille, ce qui leur confère une jolie brillance.

conseil

Si vous lavez les fruits juste avant de les utiliser, veillez à bien les sécher sur du papier absorbant, sinon l'eau imbibera les fonds de tarte.

1 Pour la pâte, tamiser la farine et le sucre glace dans une jatte, ajouter la poudre d'amandes et incorporer le beurre avec les doigts de façon à obtenir une consistance de chapelure. Ajouter le jaune d'œuf et le lait, mélanger à l'aide d'une spatule et malaxer avec les doigts jusqu'à obtention d'une pâte. Envelopper la pâte de film alimentaire et mettre 30 minutes au réfrigérateur.

2 Préchauffer le four à 200 °C (th. 6-7), abaisser la pâte sur un plan fariné pour foncer 12 moules à tartelette ou 12 moules à brioche, et piquer les fonds à l'aide d'une fourchette. Chemiser les fonds de tartelettes de papier d'aluminium et cuire au four préchauffé 10 à 15 minutes, jusqu'à ce qu'elles soient légèrement dorées. Retirer le papier d'aluminium, cuire encore 2 à 3 minutes et sortir du four. Transférer sur une grille et laisser refroidir.

3 Dans une jatte, mettre le fromage blanc et le sucre glace, mélanger et répartir une cuillerée dans chaque fond de tartelette. Garnir de fruits, saupoudrer de sucre glace et servir.

strudel aux poires et aux noix de pécan

pour 4 personnes   **préparation : 15 min**   **cuisson : 30 à 35 min**

Avec cette délicieuse garniture aux poires et aux noix enveloppée de pâte filo croustillante, vous obtiendrez facilement un strudel original.

INGRÉDIENTS

2 poires mûres

55 g de beurre, un peu plus
pour graisser

55 g de chapelure

85 g de noix de pécan, hachées

25 g de sucre roux en poudre

zeste finement râpé d'une orange

100 g de pâte filo

70 g de miel de fleur d'oranger

2 cuil. à soupe de jus d'orange

sucre glace, pour saupoudrer

yaourt à la grecque,
en accompagnement

VALEURS NUTRITIONNELLES

Calories	.466
Protéines	.6 g
Glucides	.82 g
Lipides	.28 g
Acides gras saturés	.9 g

1

2

3

conseil

Lorsque vous cuisinez avec de la pâte filo, il est important de couvrir celle-ci jusqu'au moment de l'utiliser, car elle se dessèche très vite.

1 Préchauffer le four à 200 °C (th. 6-7). Peler, épépiner et hacher les poires. Dans une sauteuse, mettre 15 g de beurre, ajouter la chapelure et chauffer à feu doux jusqu'à ce qu'elle soit dorée. Dans une jatte, mettre la chapelure, les poires, les noix, le sucre et le zeste d'orange. Mettre le beurre restant dans une casserole et faire fondre.

2 Réserver 1 feuille de pâte filo, enduire les feuilles restante de beurre fondu et les superposer sur un plan de travail. Répartir la préparation à base de noix sur les feuilles en laissant une marge de 2,5 cm et napper de miel et de jus d'orange.

3 Replier les bords courts sur la préparation, rouler en partant d'un bord long et disposer sur une plaque de four, jointure vers le haut. Enduire de beurre fondu, émietter la dernière feuille de pâte filo autour du strudel et cuire au four préchauffé 25 minutes, jusqu'à ce qu'il soit croustillant et doré. Sortir du four, saupoudrer de sucre glace et servir chaud, avec du yaourt à la grecque.

tarte sicilienne à la ricotta

cuisson : 1 heure　　　　**préparation : 15 min**　　　　**pour 6 personnes**

Dans la recette de cette spécialité italienne que nous vous proposons, nous ajoutons des pignons et des zestes d'agrumes.

VALEURS NUTRITIONNELLES	
Calories 207	
Protéines . . . . .8 g	
Glucides . . . . .32 g	
Lipides . . . . .13 g	
Acides gras saturés . . . . . . .4 g	

INGRÉDIENTS

beurre, pour graisser
farine, pour abaisser la pâte
pâte sablée (page 13)

GARNITURE

250 g de ricotta
2 œufs, battus
55 g de sucre roux en poudre
55 g de pignons
55 g de mélange de zestes, hachés
zeste finement râpé d'un citron
½ cuil. à café d'extrait de vanille
sucre glace, pour saupoudrer

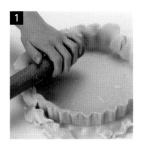

conseil

Il est préférable d'acheter des paquets de morceaux entiers de zestes et de les hacher vous-même.

1 Préchauffer le four à 200 °C (th. 6-7), graisser un moule à tarte de 20 cm de diamètre et abaisser la pâte sur un plan fariné pour foncer le moule. Cuire la pâte à blanc, réduire la température du four à 180 °C (th. 6) et préchauffer une plaque.

2 Passer la ricotta dans une passoire disposée sur une jatte, ajouter les œufs, le sucre, les pignons, le mélange de zestes, le zeste de citron et l'extrait de vanille, et bien mélanger le tout. Garnir le fond de tarte de la préparation obtenue.

3 Disposer la tarte sur la plaque, cuire au four préchauffé 45 minutes, jusqu'à ce que la préparation prenne, et sortir du four. Laisser refroidir, saupoudrer de sucre glace et servir.

tarte chocolatée aux marrons et gingembre

pour 8 personnes   **préparation : 30 min,**   **cuisson : 45 min**
réfrigération : 1 à 2 heures

*Ce fond de tarte, obtenu à partir de biscuits écrasés, est idéal
surtout si vous n'avez pas envie de préparer de pâte.*

INGRÉDIENTS

FOND DE TARTE

85 g de beurre

250 g de biscuits au gingembre,
écrasés

GARNITURE

175 g de purée de marrons
sans sucre ajouté

55 g de sucre roux en poudre

175 g de ricotta

2 œufs

100 g de chocolat noir, fondu

55 g de gingembre confit, haché

25 g de poudre d'amandes

DÉCORATION

150 ml de crème fouettée

copeaux de chocolat

VALEURS NUTRITIONNELLES

Calories 509

Protéines . . . . .8 g

Glucides . . . . .85 g

Lipides . . . . .31 g

Acides gras saturés . . . . . .17 g

---

variante

Remplacez les copeaux de chocolat
par du gingembre confit ou
du gingembre en poudre mélangé
à du cacao en poudre.

---

conseil

Pour la pâte, vous pouvez
utiliser toutes sortes
de biscuits, des sablés
par exemple. Ils doivent
toutefois être relativement
moelleux.

1 Préchauffer le four
à 180 °C (th. 6). Dans
une casserole, mettre le beurre,
chauffer à feu doux jusqu'à
ce qu'il commence à fondre
et incorporer les biscuits écrasés.
Répartir la préparation obtenue
dans un moule à fond amovible
de 23 cm de diamètre, cuire
au four préchauffé 10 minutes
et laisser refroidir. Laisser
le four allumé.

2 Dans une jatte, mettre
la purée de marrons et
le sucre, battre jusqu'à obtention
d'une consistance homogène
et répéter l'opération avec
les œufs et la ricotta dans
une autre jatte. Incorporer
le chocolat fondu dans
la préparation à base de ricotta
et ajouter la préparation à base
de marrons avec le gingembre
et la poudre d'amandes.

3 Garnir le fond de tarte
de la préparation, cuire
au four préchauffé 35 minutes,
jusqu'à ce que la préparation
ait pris, et sortir du four.
Laisser refroidir et mettre
au réfrigérateur 1 à 2 heures.

4 Fouetter la crème,
napper la tarte
et parsemer de copeaux
de chocolat.

tartelettes croquantes au sirop d'érable

pour 12 tartelettes

préparation : 20 min, refroidissement : 10 à 30 min

cuisson : 20 à 25 min

La richesse du sirop d'érable et des noix de pécan donne une saveur unique au caramel de ces délicieuses tartelettes.

INGRÉDIENTS

PÂTE

140 g de farine, un peu plus
pour abaisser la pâte

85 g de beurre

55 g de sucre roux en poudre

2 jaunes d'œufs

GARNITURE

2 cuil. à soupe de sirop d'érable

150 ml de crème fraîche épaisse

115 g de sucre roux en poudre

1 pincée de crème de tartre

75 ml d'eau

115 g de noix de pécan, hachées

12 cerneaux de noix de pécan,
en garniture

VALEURS NUTRITIONNELLES

Calories 238

Protéines . . . . .3 g

Glucides . . . . .38 g

Lipides . . . . .19 g

Acides gras saturés . . . . . . .7 g

variante

N'hésitez pas à décorer le pourtour des tartelettes refroidies avec de la crème fouettée.

conseil

Il est important d'utiliser du véritable sirop d'érable plutôt que du sirop aromatisé si vous voulez obtenir des tartelettes riches et savoureuses.

1 Dans une jatte, tamiser la farine, incorporer le beurre avec les doigts de façon à obtenir une consistance de chapelure et ajouter le sucre et les jaunes d'œufs. Mélanger jusqu'à obtention d'une pâte, envelopper et mettre au réfrigérateur 30 minutes.

2 Préchauffer le four à 200 °C (th. 6-7), abaisser finement la pâte sur un plan fariné pour foncer 12 moules à tartelettes et piquer la pâte à l'aide d'une fourchette. Chemiser les fonds de tartelettes de papier d'aluminium et cuire au four préchauffé 10 à 15 minutes, jusqu'à ce qu'ils soient dorés. Retirer le papier, cuire encore 2 à 3 minutes et sortir du four. Transférer sur une grille et laisser refroidir.

3 Dans une jatte, mettre la moitié du sirop d'érable et de la crème fraîche, et mélanger. Dans une casserole, mettre l'eau, la crème de tartre et le sucre, chauffer à feu doux sans cesser de remuer jusqu'à ce que le sucre soit dissous et porter à ébullition. Faire bouillir jusqu'à coloration, retirer du feu et incorporer la préparation précédente.

4 Remettre sur le feu et cuire jusqu'au stade du « petit boulé » (116 °C) de sorte qu'un peu de mélange forme une bille molle si on la plonge dans de l'eau froide. Incorporer la crème restante et laisser tiédir. Enduire le bord des tartelettes du sirop d'érable restant, répartir les noix hachées et verser le caramel. Garnir de noix, laisser prendre et servir.

samosas au crabe et au gingembre

pour 12 samosas   **préparation : 15 à 20 min**    **cuisson : 20 à 25 min**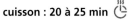

Surprenez vos convives en servant ces petits triangles de crabe croustillants comme entrée, dans un buffet ou en apéritif.

INGRÉDIENTS

85 g de beurre, fondu,
un peu plus pour graisser
200 g de chair de crabe
fraîche ou en boîte, égouttée
6 oignons verts, finement hachés,
un peu plus en garniture
1 morceau de gingembre frais
de 2,5 cm, râpé
2 cuil. à café de sauce de soja
poivre
12 feuilles de pâte filo

VALEURS NUTRITIONNELLES

Calories	105
Protéines	...............4 g
Glucides	...............9 g
Lipides	...............6 g
Acides gras saturés	.......4 g

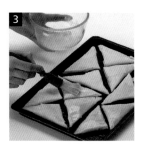

1 Préchauffer le four à 180 °C (th. 6) et beurrer une plaque de four. Dans une terrine, mettre la sauce de soja, les oignons, le crabe, le gingembre et le poivre, mélanger et réserver. Enduire une feuille de pâte filo de beurre fondu en réservant les autres dans un torchon, plier en deux dans la longueur et enduire à nouveau de beurre.

2 Disposer une cuillerée de préparation à base de crabe sur un coin de la pâte, replier la pâte sur la farce à angle droit de façon à obtenir un triangle et répéter l'opération de sorte que toute la pâte soit utilisée, jusqu'à obtention d'un paquet triangulaire. Répéter l'opération avec les feuilles restantes.

3 Disposer le triangle sur la plaque de four, répéter l'opération avec la pâte et la préparation restantes, et enduire chaque triangle de beurre fondu. Cuire au four préchauffé 20 à 25 minutes, jusqu'à ce qu'ils soient dorés et croustillants, garnir d'oignons verts hachés et servir chaud.

conseil

Cette recette sera plus savoureuse si vous utilisez de la chair de crabe fraîche, au lieu de la chair en boîte qui aura moins de goût.

tartelettes en pâte filo farcies à l'avocat

cuisson : 6 à 8 min   **préparation : 20 min**   **pour 20 tartelettes**

Ces petits réceptacles croustillants accueillent une farce épicée à l'avocat. Garnissez les tartelettes au dernier moment.

VALEURS NUTRITIONNELLES	
Calories 49	
Protéines . . . . .1 g	
Glucides . . . . .4 g	
Lipides . . . . .4 g	
Acides gras saturés . . . . . . .2 g	

INGRÉDIENTS

FONDS

70 g de pâte filo

3 cuil. à soupe de beurre fondu,

un peu plus pour graisser

FARCE

1 gros avocat

1 petit oignon rouge, finement haché

1 piment rouge frais, épépiné et haché

2 tomates, mondées, épépinées

et finement concassées

jus d'un citron vert

2 cuil. à soupe de coriandre fraîche hachée

sel et poivre

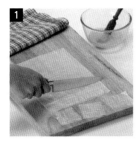

conseil

Vous pouvez préparer les fonds de tarte une semaine à l'avance et les conserver dans un récipient hermétique. Préparez la farce au dernier moment et servez aussitôt, pour éviter que les tartelettes ramollissent.

1 Préchauffer le four à 180 °C (th. 6). Pour les fonds de tartelettes, enduire les feuilles de pâte filo de beurre fondu et découper les feuilles en carrés de 5 cm, à l'aide d'un couteau tranchant.

2 Graisser 20 alvéoles d'un moule à muffins, chemiser de 3 carrés de pâte filo beurrés disposés en biais les uns par rapport aux autres, et répéter l'opération. Cuire au four préchauffé 6 à 8 minutes, jusqu'à ce que les fonds soient dorés, sortir du four et démouler. Transférer sur une grille et laisser refroidir.

3 Peler l'avocat, retirer le noyau et découper la chair en dés. Mettre dans une terrine avec l'oignon, le piment, les tomates, le jus de citron vert et la coriandre, saler et poivrer. Répartir la préparation dans les fonds de tartelettes et servir immédiatement.

mini-choux au cocktail de crevettes

pour 22 mini-choux   **préparation : 30 min**   **cuisson : 35 min**

*Le cocktail de crevettes fait son retour mais remis au goût du jour,
servi dans des choux pour accompagner les apéritifs.*

INGRÉDIENTS

PÂTE À CHOUX

55 g de beurre, un peu plus
pour graisser
150 ml d'eau
70 g de farine, tamisée
2 œufs, battus

FARCE

2 cuil. à soupe de mayonnaise
1 cuil. à café de concentré de tomates
140 g de petites crevettes, cuites
et décortiquées
1 cuil. à café de sauce Worcester
sel
Tabasco
1 petite romaine, ciselée
poivre de Cayenne, en garniture

VALEURS NUTRITIONNELLES

Calories 65

Protéines . . . . .3 g

Glucides . . . . .3 g

Lipides . . . . .5 g

Acides gras saturés . . . . . . .2 g

variante

Selon vos goûts, remplacez le poivre
de Cayenne par du poivron rouge
finement haché.

conseil

Vous pouvez farcir les choux
jusqu'à 3 heures à l'avance
en les mettant au réfrigérateur
jusqu'au moment de servir.
Laissez-les revenir
à température ambiante
avant de les déguster.

1 Préchauffer le four à 180 °C (th. 6) et graisser une plaque de four. Pour la pâte à choux, mettre le beurre et l'eau dans une casserole à fond épais, porter à ébullition et ajouter la farine en une seule fois en battant jusqu'à ce que la préparation se détache des parois de la casserole. Laisser tiédir, ajouter les œufs un par un en battant bien et disposer 22 noix de préparation sur la plaque, en les espaçant de 2 cm. Cuire au four préchauffé 35 minutes, jusqu'à ce que les choux soient légers et dorés, laisser refroidir sur une grille et découper une tranche de 5 mm d'épaisseur au sommet de chaque choux.

2 Dans une terrine, mettre la mayonnaise, le concentré de tomates, les crevettes et la sauce Worcester, ajouter du sel et du Tabasco selon son goût, et bien mélanger.

3 Garnir chaque choux de quelques lanières de romaine, de sorte qu'elles ressortent un peu par le haut, recouvrir de préparation à base de crevettes et saupoudrer d'un peu de poivre de Cayenne. Servir immédiatement.

tartelettes grecques à la féta et aux olives

pour 12 tartelettes   préparation : 30 min 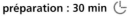   cuisson : 30 min

Le mariage de la saveur acide de la féta et fruitée des olives donne naissance à ces délicieuses tartelettes, idéales pour les buffets.

INGRÉDIENTS

beurre, pour graisser

farine, pour abaisser la pâte

pâte brisée (page 13)

1 œuf

3 jaunes d'œufs

300 ml de crème fouettée

sel et poivre

115 g de féta

6 olives noires, dénoyautées
et coupées en deux

12 petits brins de romarin frais

VALEURS NUTRITIONNELLES	
Calories 208	
Protéines . . . . .4 g	
Glucides . . . . .9 g	
Lipides . . . . .18 g	
Acides gras saturés . . . . . . .9 g	

conseil

La féta est un fromage relativement salé. Il n'est donc pas nécessaire de saler beaucoup la préparation à base d'œufs à l'étape 2.

1 Préchauffer le four à 200 °C (th. 6-7) et graisser 12 moules à tartelettes de 6 cm de diamètre ou 12 alvéoles d'un moule à muffins. Sur un plan fariné, abaisser la pâte de sorte qu'elle ait 3 mm d'épaisseur, foncer les moules et piquer les fonds à l'aide d'une fourchette. Chemiser les fonds de tartelette de papier d'aluminium et cuire au four

préchauffé 12 minutes. Retirer le papier d'aluminium et cuire encore 3 minutes.

2 Dans une terrine, mettre l'œuf entier, les jaunes et la crème, saler et poivrer. Battre à l'aide d'un fouet.

3 Émietter la féta dans les fonds de tartelettes, garnir de préparation à base

d'œufs et ajouter une moitié d'olive. Décorer d'un brin de romarin, cuire au four préchauffé 15 minutes et sortir du four. Servir chaud ou froid.

tartelettes au pistou et au chèvre

cuisson : 10 min　　　　**préparation : 15 min**　　　　**pour 20 tartelettes**

La pâte feuilletée de ces tartelettes se soulève autour de sa farce délicieuse et l'enferme en un instant !

VALEURS NUTRITIONNELLES

Calories 66

Protéines . . . . .2 g

Glucides . . . . .5 g

Lipides . . . . .5 g

Acides gras saturés . . . . . . .1 g

INGRÉDIENTS

200 g de pâte feuilletée
prête à l'emploi
farine, pour abaisser la pâte
3 cuil. à soupe de pistou
20 tomates cerises, coupées
en 3 rondelles
115 g de fromage de chèvre
sel et poivre
feuilles de basilic frais, en garniture

conseil

Vous préparerez ces tartelettes encore plus rapidement si vous utilisez de la pâte feuilletée déjà abaissée.

1 Préchauffer le four à 200 °C (th. 6-7) et fariner une plaque de four. Sur un plan fariné, abaisser la pâte de sorte qu'elle ait 3 mm d'épaisseur, découper 20 ronds à l'aide d'un emporte-pièce de 5 cm de diamètre et disposer sur la plaque.

2 Étaler un peu de pistou sur chaque rond en laissant une marge et garnir de 3 rondelles de tomates.

3 Émietter le chèvre, saler et poivrer. Cuire au four préchauffé 10 minutes, jusqu'à ce que la pâte soit levée, croustillante et dorée, sortir du four et garnir de feuilles de basilic frais. Servir chaud.

tartelettes oignons-mozzarella

pour 4 personnes

préparation : 20 min,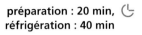
réfrigération : 40 min

cuisson : 45 min

Ces tartelettes se dégustent chaudes ou froides et peuvent s'emporter en pique-nique ou faire office d'entrée.

INGRÉDIENTS

250 g de pâte feuilletée
prête à l'emploi
8 brins de thym
2 oignons rouges
1 poivron rouge
8 tomates cerises,
coupées en deux
100 g de mozzarella,
coupée en morceaux

VALEURS NUTRITIONNELLES	
Calories 327	
Protéines . . . . .5 g	
Glucides . . . . .28 g	
Lipides . . . . .23 g	
Acides gras saturés . . . . . .9 g	

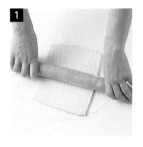

conseil

La pâte feuilletée prête à l'emploi se vend au rayon frais ou au rayon des surgelés. Si vous utilisez de la pâte feuilletée surgelée, assurez-vous qu'elle est parfaitement décongelée avant de l'utiliser.

1 Sur un plan fariné, abaisser la pâte, découper 4 carrés de 7,5 cm de côté et reserver les chutes. Mettre au réfrigérateur 30 minutes.

2 Disposer les carrés de pâte sur une plaque de four, humecter le pourtour et façonner des bordures avec les chutes de pâte. Couper les oignons rouges en quartiers, couper le poivron en deux et l'épépiner.

3 Dans un plat allant au four, disposer les oignons et le poivron, et passer au gril préchauffé 15 minutes, jusqu'à ce que la peau noircisse. Mettre les moitiés de poivron dans un sac plastique 10 minutes, retirer la peau et couper la chair en lanières.

4 Chemiser les carrés de pâte de papier d'aluminium et cuire au four préchauffé, à 200 °C (th. 6-7), 10 minutes. Retirer le papier d'aluminium et cuire encore 5 minutes.

5 Garnir les tartelettes avec les oignons, les lanières de poivrons, les tomates et le fromage, parsemer de thym frais et cuire au four 15 minutes, jusqu'à ce que la pâte soit dorée. Sortir du four et servir chaud.

mini-tourtes au fromage et à l'oignon

⏲ **cuisson : 35 min**   🕐 **préparation : 10 min**   **pour 4 personnes**

Ces petites tourtes sont garnies d'une délicieuse préparation à base d'oignon et de fromage, et garnissent idéalement un panier repas.

VALEURS NUTRITIONNELLES	
Calories 544	
Protéines . . . . .11 g	
Glucides . . . . .56 g	
Lipides . . . . .36 g	
Acides gras saturés . . . . . .18 g	

INGRÉDIENTS

3 cuil. à soupe d'huile

4 oignons, finement émincés

4 gousses d'ail, hachées

4 cuil. à soupe de persil frais haché

75 g de fromage à pâte cuite assez fort, râpé

sel et poivre

PÂTE

175 g de farine

½ cuil. à café de sel

100 g de beurre, coupé en dés

3 à 4 cuil. à soupe d'eau

conseil

La garniture peut être préparée à l'avance et conservée au réfrigérateur. Laissez-la revenir à température ambiante avant de l'utiliser.

1 Dans une poêle, chauffer l'huile, ajouter les oignons et l'ail, et faire revenir 10 à 15 minutes. Retirer la poêle du feu, ajouter le persil et le fromage, et saler et poivrer selon son goût.

2 Pour la pâte, tamiser la farine et le sel dans une terrine, incorporer le beurre avec les doigts

de façon à obtenir une consistance de chapelure et ajouter l'eau. Mélanger jusqu'à obtention d'une pâte.

3 Sur un plan fariné, diviser en huit, abaisser les morceaux de pâte de façon à obtenir des ronds de 10 cm de diamètre et foncer 4 moules avec la moitié des ronds. Répartir la garniture sur

les fonds de tarte, couvrir avec les quatre ronds restants et percer un petit trou au centre avec la pointe d'un couteau. Souder les bords à l'aide d'une cuillère, cuire au four préchauffé, à 220 °C (th. 7-8), 20 minutes, et sortir du four. Servir chaud ou froid selon son goût.

hachis Parmentier au poulet

🕐 **cuisson : 40 min**

🕐 **préparation : 45 min,
refroidissement : 1 heure**

pour 4 personnes

VALEURS NUTRITIONNELLES
Calories 530
Protéines . . . . .37 g
Glucides . . . . .36 g
Lipides . . . . .23 g
Acides gras saturés . . . . . .12 g

La recette du hachis Parmentier peut s'adapter à de nombreux ingrédients. Ajoutez les légumes et les fines herbes de votre choix.

INGRÉDIENTS

500 g de poulet, haché

1 gros oignon, finement haché

2 carottes, finement hachées

2 cuil. à soupe de farine

1 cuil. à soupe de concentré de tomates

300 ml de bouillon de poulet

1 pincée de thym frais

900 g de pommes de terre, écrasées
avec du beurre et du lait, et bien
assaisonnées

75 g de fromage (cheddar,
par exemple), râpé

sel et poivre

petits pois cuits, en accompagnement

variante

Vous pouvez utiliser n'importe quel mélange de fromage, en fonction de ce que vous aimez et de ce que vous avez sous la main.

conseil

Ce plat doit être servi très chaud. Si vous manquez de temps, ne laissez pas refroidir le gratin avant de le passer au four.

1 Dans une poêle antiadhésive, mettre le poulet haché, l'oignon et les carottes, faire revenir 5 minutes en remuant souvent et saupoudrer de farine. Cuire encore 2 minutes.

2 Ajouter le concentré de tomates progressivement, mouiller avec le bouillon et laisser mijoter 15 minutes. Saler, poivrer et ajouter le thym.

3 Transférer la préparation dans un plat allant au four et laisser refroidir.

4 Répartir la purée de pommes de terre sur la préparation, parsemer de fromage râpé et cuire au four préchauffé, à 210 °C (th. 7), 20 minutes, jusqu'à ce que le gratin soit bien doré. Sortir du four et servir directement dans le plat, accompagné de petits pois.

lasagnes de poulet

pour 4 personnes **préparation : 20 min** **cuisson : 1 h 15**

Voici une variante de ce traditionnel plat de pâtes, agrémentée de poulet au vin rouge, de tomates et d'une sauce au fromage. Servez ces lasagnes avec une salade croquante pour un repas consistant.

INGRÉDIENTS

9 feuilles de lasagnes fraîches ou sèches

1 cuil. à soupe d'huile d'olive

1 oignon rouge, finement haché

1 gousse d'ail, hachée

100 g de champignons, émincés

350 g de blanc de poulet ou de dinde, coupé en morceaux

150 ml de vin rouge, dilué dans 100 ml d'eau

250 g de coulis de tomates

1 cuil. à café de sucre

BÉCHAMEL

75 g de beurre

50 g de farine

600 ml de lait

1 œuf, légèrement battu

75 g de parmesan, râpé

sel et poivre

VALEURS NUTRITIONNELLES

Calories 550

Protéines . . . . .35 g

Glucides . . . . .45 g

Lipides . . . . .29 g

Acides gras saturés . . . . . .12 g

variante

Remplacez le parmesan par un autre fromage à pâte dure, comme le cheddar. Si vous préférez, utilisez des feuilles de lasagnes aux épinards.

conseil

Si vous avez peu de temps, utilisez des lasagnes précuites, que vous trouverez en supermarché ou dans des épiceries fines italiennes.

1 Cuire les lasagnes selon les instructions figurant sur le paquet et huiler un plat profond allant au four.

2 Dans une casserole, chauffer l'huile, ajouter l'oignon et l'ail, et cuire 3 à 4 minutes. Ajouter le poulet et les champignons, faire revenir 4 minutes, jusqu'à ce que la viande soit dorée, et mouiller avec le vin. Porter à ébullition, laisser mijoter 5 minutes et incorporer le coulis de tomates et le sucre. Cuire encore 3 à 5 minutes, jusqu'à e que le poulet soit tendre et cuit à cœur, et que la sauce ait légèrement épaissi.

3 Pour la béchamel, faire fondre le beurre dans une casserole, délayer la farine et cuire 2 minutes. Retirer la casserole du feu, incorporer progressivement le lait sans cesser de remuer jusqu'à obtention d'une sauce homogène et remettre sur le feu. Porter à ébullition sans cesser de remuer jusqu'à ce que la sauce épaississe, laisser refroidir et ajouter l'œuf et la moitié du fromage. Saler et poivrer.

4 Disposer 3 feuilles de lasagnes au fond du plat, répartir la moitié du mélange au poulet et répéter l'opération. Recouvrir de 3 feuilles de lasagnes, napper de sauce béchamel et saupoudrer de parmesan. Cuire au four préchauffé, à 190 °C (th. 6-7), 30 minutes, jusqu'à ce que le gratin soit doré et les lasagnes bien cuites.

terrine de dinde aux légumes

pour 6 personnes **préparation : 10 min** **cuisson : 1 h 20**

Cette magnifique terrine de dinde, enrobée de lanières de courgettes, est aromatisée aux fines herbes et aux tomates.

INGRÉDIENTS

1 oignon, finement haché

1 gousse d'ail, hachée

900 g de dinde dégraissée

1 cuil. à soupe de persil frais haché

1 cuil. à soupe de ciboulette fraîche hachée

1 cuil. à soupe d'estragon frais haché

sel et poivre

1 blanc d'œuf, légèrement battu

2 courgettes, 1 moyenne et 1 grosse

2 tomates

sauce tomate aux fines herbes, en garniture (facultatif)

VALEURS NUTRITIONNELLES

Calories 165

Protéines . . . . .36 g

Glucides . . . . .2 g

Lipides . . . . .2 g

Acides gras saturés . . . . . .0,5 g

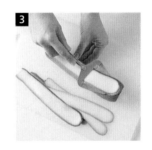

conseil

Pour savoir si la terrine est cuite, piquez une brochette au centre – elle doit rendre un jus clair. La terrine doit également rétrécir un peu dans le moule.

1 Préchauffer le four à 190 °C (th. 6-7) et chemiser un moule à cake de papier sulfurisé. Dans une terrine, mettre l'oignon, l'ail et la dinde, ajouter les fines herbes et saler et poivrer selon son goût. Malaxer et ajouter le blanc d'œuf de façon à lier la préparation.

2 Chemiser le fond du moule de la moitié de la préparation à base de dinde, couper la courgette moyenne et la tomate en fines tranches et disposer dans le moule. Répartir la préparation à base de dinde restante, presser fermement et couvrir de papier d'aluminium. Placer dans un plat allant au four, verser de l'eau de sorte que le moule soit immergé à moitié et cuire au four préchauffé 40 à 55 minutes. Retirer le papier d'aluminium et cuire encore 20 minutes.

3 Couper la courgette restante à l'aide d'une mandoline ou d'un économe, porter de l'eau à ébullition dans une casserole et blanchir les courgettes 1 à 2 minutes, jusqu'à ce qu'elles soient tendres. Égoutter et réserver au chaud.

4 Démouler la terrine, transférer sur un plat de service chaud et garnir de lanières de courgettes. Servir accompagné d'une sauce tomate aux fines herbes.

tartelettes au fromage et à l'oignon vert

cuisson : 25 min

préparation : 45 min, réfrigération : 30 min

pour 12 personnes

Servez ces petites tartelettes pour un apéritif ou lors d'un buffet. Elles sont également délicieuses à l'occasion d'un pique-nique.

VALEURS NUTRITIONNELLES	
Calories	114
Protéines	. . . . .3 g
Glucides	. . . . .8 g
Lipides	. . . . .9 g
Acides gras saturés	. . . . . . .5 g

INGRÉDIENTS

PÂTE

100 g de farine

¼ de cuil. à café de sel

5 cuil. à soupe ½ de beurre, coupé en dés

1 à 2 cuil. à soupe d'eau

GARNITURE

1 œuf, battu

100 ml de crème fraîche liquide

50 g de cheddar ou de mimolette, râpés

3 oignons verts, finement hachés

sel

poivre de Cayenne

conseil

Si vous manquez de temps, utilisez 175 g de pâte prête à l'emploi. Réaliser cette recette ne vous prendra alors que quelques minutes.

1 Pour la pâte, tamiser la farine et le sel dans une terrine, incorporer le beurre avec les doigts de façon à obtenir une consistance de chapelure et ajouter l'eau. Mélanger jusqu'à obtention d'une pâte, couvrir de film alimentaire et mettre au réfrigérateur 30 minutes.

2 Sur un plan fariné, abaisser la pâte et découper 12 ronds à l'aide d'un emporte-pièce de 7,5 cm de diamètre pour foncer des moules à muffins.

3 Pour la garniture, battre l'œuf, la crème fraîche, le fromage et les oignons verts dans une terrine, saler et poivrer selon son goût et répartir la préparation obtenue dans les fonds des tartelettes. Cuire au four préchauffé, à 180 °C (th. 6), 20 à 25 minutes, jusqu'à ce que la garniture soit prise et la pâte dorée. Transférer sur un plat de service chaud ou servir froid.

gratin de poisson fumé

cuisson : 1 heure **préparation : 15 min** **pour 4 personnes**

VALEURS NUTRITIONNELLES

Calories 523

Protéines . . . . .58 g

Glucides . . . . .78 g

Lipides . . . . .6 g

Acides gras saturés . . . . . . .5 g

variante

Remplacez les champignons de Paris par des pleurotes pour plus de raffinement.

Ce plat savoureux et coloré est idéal pour un repas léger, auquel le saumon fumé donnera un petit goût de luxe.

INGRÉDIENTS

900 g de haddock ou de cabillaud fumé

600 ml de lait écrémé

2 feuilles de laurier

115 g de champignons de Paris, coupés en quatre

115 g de petits pois surgelés

115 g de maïs surgelé

675 g de pommes de terre, pelées et coupées en dés

5 cuil. à soupe de yaourt nature allégé

3 cuil. à soupe de maïzena

4 cuil. à soupe de persil frais haché

60 g de saumon fumé, coupé en fines lanières

25 g de fromage fumé, râpé

sel et poivre

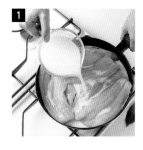

conseil

Utilisez la meilleure qualité de cabillaud ou de haddock, en évitant les colorants ou les arômes artificiels.

1 Dans une casserole, mettre le poisson, le lait et les feuilles de laurier, porter à ébullition et couvrir. Cuire 5 minutes à feu doux, ajouter les champignons, les petits pois et le maïs, et porter à ébullition. Couvrir, cuire encore 5 à 7 minutes et laisser refroidir.

2 Dans une casserole, porter de l'eau à ébullition, ajouter les pommes de terre et cuire 8 minutes. Égoutter, écraser à l'aide d'une fourchette ou d'un presse-purée et incorporer le yaourt, le persil, le sel et le poivre. Réserver.

3 Retirer le poisson de la casserole, émietter la chair en la détachant de la peau et en réservant le jus, et transférer dans un plat allant au four. Égoutter les légumes en réservant le jus de cuisson, ajouter au poisson et incorporer les lanières de saumon.

4 Délayer la maïzena dans du jus de cuisson de façon à obtenir une pâte, transférer le jus restant dans une casserole et ajouter la pâte. Chauffer à feu doux sans cesser de remuer jusqu'à ce que la préparation épaississe, retirer les feuilles de laurier et saler et poivrer selon son goût. Napper le poisson et les légumes de sauce, garnir de purée de pommes de terre et parsemer de fromage. Cuire au four préchauffé, à 180 °C (th. 6), 25 à 30 minutes, jusqu'à ce que le gratin soit bien doré.

tartelettes à la tomate fraîche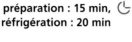

*Consommez ces tartelettes à la tomate le plus rapidement possible,
tant qu'elles sont encore légères et croustillantes.*

INGRÉDIENTS

250 g de pâte feuilletée,
prête à l'emploi
1 œuf, légèrement battu
2 cuil. à soupe de pesto
6 tomates olivettes, coupées
en rondelles
sel et poivre
thym frais, en garniture (facultatif)

VALEURS NUTRITIONNELLES

Calories 217

Protéines . . . . .5 g

Glucides . . . . .21 g

Lipides . . . . .14 g

Acides gras saturés . . . . . . .1 g

variante

Vous pouvez confectionner
une seule grande tarte
à la tomate. Répartissez
le pesto et les tomates
en une seule fois.

1 Sur un plan fariné,
abaisser la pâte en
un rectangle de 30 x 25 cm,
diviser le rectangle en six
et mettre au réfrigérateur
20 minutes.

2 Inciser légèrement la
bordure des rectangles
de pâte, dorer à l'œuf battu

et napper de pesto en laissant
une marge de 2,5 cm.
Disposer les rondelles de
tomate sur le pesto, saler
et poivrer selon son goût
et parsemer de thym frais.

3 Cuire les tartelettes
au four préchauffé,
à 200 °C (th. 6-7), 15 à

20 minutes, jusqu'à ce qu'elles
soient dorées, sortir du four
et transférer sur des assiettes
chaudes. Servir très chaud.

tarte à la provençale

cuisson : 55 min

préparation : 15 min, réfrigération : 20 min

pour 6 personnes

Cette tarte très colorée et savoureuse est une agréable variante de la quiche lorraine.

VALEURS NUTRITIONNELLES	
Calories	355
Protéines	. . . . .5 g
Glucides	. . . . .26 g
Lipides	. . . . .29 g
Acides gras saturés	. . . . . . .9 g

INGRÉDIENTS

250 g de pâte feuilletée fraîche, prête à l'emploi

3 cuil. à soupe d'huile d'olive

2 poivrons rouges, épépinés et coupés en dés

2 poivrons verts, épépinés et coupés en dés

150 ml de crème fraîche épaisse

1 œuf

2 courgettes, coupées en rondelles

sel et poivre

conseil

Vous pouvez adapter cette recette à la confection de 6 tartelettes de 15 x 10 cm. Faites-les cuire seulement 20 minutes, jusqu'à ce qu'elles soient prises et dorées.

1 Sur un plan fariné, abaisser la pâte pour foncer un moule à tarte à fond amovible de 20 cm de diamètre et mettre au réfrigérateur 20 minutes.

2 Préchauffer le four à 180 °C (th. 6). Dans une poêle, chauffer 2 cuillerées à soupe d'huile d'olive, ajouter les dés de poivron et faire revenir 8 minutes sans cesser de remuer, jusqu'à ce qu'ils soient tendres. Dans une terrine, battre la crème et l'œuf, saler et poivrer selon son goût et incorporer les poivrons.

3 Dans une poêle, chauffer l'huile restante, ajouter les courgettes et faire revenir 4 à 5 minutes, jusqu'à ce qu'elles soient dorées.

Répartir la préparation à base de poivrons dans le fond de tarte et garnir les bordures de courgettes.

4 Cuire au four préchauffé 35 à 40 minutes, jusqu'à ce que la garniture soit prise et dorée, et servir chaud ou froid.

friands au fromage et au jambon

pour 6 personnes   **préparation : 20 min,** 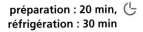 **cuisson : 20 min**
réfrigération : 30 min

Ces jolis friands sont aussi délicieux chauds que froids.
Ils sont parfaits pour un pique-nique, accompagnés d'une salade.

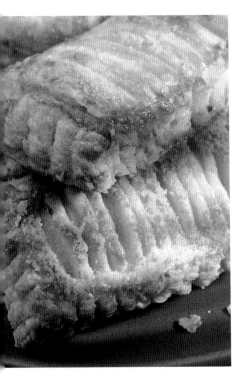

INGRÉDIENTS

250 g de pâte feuilletée fraîche
prête à l'emploi
50 g de jambon cuit, coupé
en petits morceaux
125 g de fromage frais
2 cuil. à soupe de ciboulette
fraîche émincée
1 œuf, légèrement battu
2 cuil. à soupe de parmesan
fraîchement râpé
poivre

VALEURS NUTRITIONNELLES	
Calories 257	
Protéines . . . . .8 g	
Glucides . . . . .17 g	
Lipides . . . . .19 g	
Acides gras saturés . . . . . . .5 g	

conseil

Vous pouvez préparer
ces friands à l'avance
et les congeler. Il ne
vous restera plus qu'à
les laisser décongeler
avant de les cuire au four.

1 Beurrer 2 plaques de
four. Sur un plan fariné,
abaisser la pâte, découper
12 rectangles de 15 x 5 cm
et répartir sur les plaques. Mettre
au réfrigérateur 30 minutes.

2 Préchauffer le four
à 180 °C (th. 6).
Dans une terrine, mélanger
le jambon, le fromage, le
poivre et la ciboulette, répartir
au centre de 6 rectangles
de pâte en laissant une marge
de 2,5 cm et dorer les marges
à l'œuf battu.

3 Pour le motif en treillis,
plier les rectangles
restants dans la longueur et
pratiquer de légères incisions
parallèles en direction de la
pliure, en laissant une marge
de 2,5 cm sur les trois autres
côtés. Déplier les rectangles,
disposer sur les rectangles garnis
et souder les bords. Saupoudrer
de parmesan, cuire au four
préchauffé 15 à 20 minutes
et sortir du four. Servir chaud
ou froid.

tarte Tatin à l'oignon rouge

🕐 cuisson : 50 min

🕐 préparation: 15 min, repos : 10 min

pour 4 personnes

La pâte prête à l'emploi est idéale dans cette recette car elle vous permet de confectionner une tarte délicieuse en peu de temps.

VALEURS NUTRITIONNELLES	
Calories 398	
Protéines . . . . .5 g	
Glucides . . . . .54 g	
Lipides . . . . .25 g	
Acides gras saturés . . . . . . .7 g	

INGRÉDIENTS

50 g de beurre

25 g de sucre

3 cuil. à soupe de vinaigre de vin rouge

500 g d'oignons rouges, pelés

et coupés en quartiers

2 cuil. à soupe de thym frais

250 g de pâte feuilletée fraîche

prête à l'emploi

sel et poivre

variante

Remplacez les oignons rouges par des échalotes sans les couper, si vous les préférez.

1 Préchauffer le four à 180 °C (th. 6). Dans une poêle de 23 cm de diamètre allant au four, mettre le beurre et le sucre, chauffer à feu moyen jusqu'à ce que le tout ait fondu et ajouter les quartiers d'oignon rouge. Cuire 10 à 15 minutes à feu doux en remuant souvent, jusqu'à ce que les oignons soient dorés et caramélisés.

2 Ajouter le vinaigre et le thym dans la poêle, saler et poivrer selon son goût et chauffer à feu moyen jusqu'à ce que le tout ait réduit et que la sauce enrobe bien les oignons.

3 Sur un plan fariné, abaisser la pâte en un rond légèrement plus grand que le diamètre de la poêle, disposer la pâte sur les oignons et replier les bords de façon à enfermer les oignons sous la couche de pâte.

4 Cuire au four préchauffé 20 à 25 minutes, laisser reposer 10 minutes et renverser un plat sur la poêle. Retourner le tout délicatement de sorte que la pâte devienne le fond de tarte et servir immédiatement.

gratin de bœuf aux tomates

pour 4 personnes **préparation : 10 min** ⏲ **cuisson : 1 h 15** ⏲

*Ce copieux gratin cuit dans une crème pauvre
en matières grasses est agrémenté de fromage croustillant.*

INGRÉDIENTS

350 g de bœuf, haché

1 gros oignon, finement haché

1 cuil. à café d'herbes de Provence
séchées

1 cuil. à soupe de farine

300 ml de bouillon de bœuf

1 cuil. à soupe de concentré de tomates

sel et poivre

2 grosses tomates, coupées en fines
rondelles

4 courgettes, coupées
en fines rondelles

2 cuil. à soupe de maïzena

300 ml de lait écrémé

175 g de fromage allégé

1 jaune d'œuf

200 g de parmesan, fraîchement râpé

pain frais et légumes, cuits à la vapeur,
en accompagnement

variante

Remplacez le bœuf par de l'agneau
émincé, si vous préférez. Utilisez
un autre fromage que le parmesan,
selon votre goût.

conseil

Conservez les fines herbes
séchées dans des récipients
hermétiques, dans un endroit
frais à l'abri de la lumière
de sorte qu'elles gardent
leur arôme et leur couleur.

1 Préchauffer le four
à 190 °C (th. 6-7).
Dans une poêle à fond épais,
mettre le bœuf et l'oignon,
faire revenir 4 à 5 minutes à
feu doux en remuant souvent,
jusqu'à ce que la viande soit
bien cuite, et ajouter les herbes
de Provence, la farine et le
concentré de tomates. Mouiller
avec le bouillon, saler et poivrer

selon son goût et porter à
ébullition. Réduire le feu et
laisser mijoter 30 minutes,
jusqu'à ce que le mélange
épaississe.

2 Répartir le mélange
dans un plat allant
au four et garnir d'une couche
de rondelles de tomates et
d'une couche de rondelles de

courgettes. Délayer la maïzena
dans un peu de lait de façon
à obtenir une pâte lisse, verser
le lait restant dans une casserole
et porter à ébullition. Ajouter
la pâte de maïzena, chauffer
1 à 2 minutes, jusqu'à ce que
la préparation épaississe,
et retirer du feu. Incorporer
le fromage et le jaune d'œuf,
saler et poivrer.

3 Napper les courgettes
de sauce, saupoudrer
de parmesan râpé et disposer
le plat sur une plaque de four.
Cuire au four préchauffé
25 à 30 minutes, jusqu'à
ce que le gratin soit doré, sortir
du four et servir accompagné
de légumes cuits à la vapeur
et de pain frais.

tarte aux asperges et au chèvre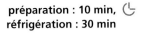

pour 6 personnes **préparation : 10 min,** **cuisson : 50 min**
réfrigération : 30 min

On peut désormais se procurer des asperges toute l'année.
N'hésitez pas à servir cette délicieuse tarte en toutes occasions.

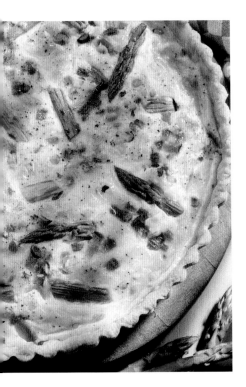

INGRÉDIENTS

250 g de pâte brisée fraîche
prête à l'emploi
250 g d'asperges vertes
1 cuil. à soupe d'huile
1 oignon rouge, émincé
200 g de fromage de chèvre
25 g de noisettes, hachées
2 œufs, battus
4 cuil. à soupe de crème fraîche allégée
sel et poivre

VALEURS NUTRITIONNELLES

Calories	360
Protéines	. . . . .11 g
Glucides	. . . . .27 g
Lipides	. . . . .25 g
Acides gras saturés	. . . . . .10 g

variante

Les noisettes peuvent
être remplacées par
du parmesan que l'on
saupoudre sur la tarte
juste avant de l'enfourner.

1 Sur un plan fariné, abaisser la pâte pour foncer un moule à tarte à fond amovible de 24 cm de diametre, piquer le fond de tarte à l'aide d'une fourchette et mettre au réfrigérateur 30 minutes.

2 Chemiser de papier d'aluminium, garnir de haricots secs et cuire à blanc au four préchauffé, à 190 °C (th. 6-7), 15 minutes. Retirer le papier d'aluminium et les haricots secs, et cuire encore 15 minutes.

3 Porter à ébullition une casserole d'eau, ajouter les asperges et cuire 2 à 3 minutes. Égoutter et couper en morceaux de 3 cm.

Dans une petite poêle, chauffer l'huile, ajouter l'oignon et chauffer jusqu'à ce qu'il soit tendre. Répartir les asperges, l'oignon et les noisettes sur le fond de tarte.

4 Mixer le fromage, les œufs et la crème dans un robot de cuisine ou battre à la main jusqu'à obtention d'un mélange homogène. Saler et poivrer selon son goût, répartir sur le fond de tarte et cuire au four préchauffé 15 à 20 minutes, jusqu'à ce que la garniture soit juste prise. Sortir du four et servir immédiatement ou laisser refroidir.

tarte à l'oignon

cuisson : 55 min

préparation : 10 min, réfrigération : 30 min

pour 4 personnes

Cette tarte à la pâte croustillante et au délicieux mélange d'oignons et de fromage fond littéralement dans la bouche.

VALEURS NUTRITIONNELLES
Calories 394
Protéines . . . . .11 g
Glucides . . . . .36 g
Lipides . . . . .27 g
Acides gras saturés . . . . . .12 g

INGRÉDIENTS

250 g de pâte brisée prête à l'emploi, décongelée si nécessaire

farine, pour abaisser la pâte

40 g de beurre

75 g de lardons

700 g d'oignons, finement émincés

2 œufs, battus

50 g de parmesan, fraîchement râpé

1 cuil. à café de sauge séchée

sel et poivre

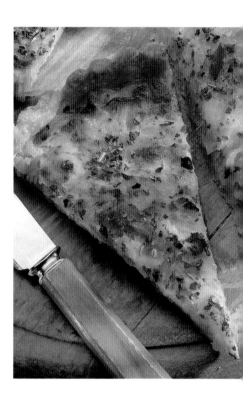

variante

Si vous préférez, utilisez des oignons rouges et remplacez la sauge séchée par du thym ou de l'origan.

1 Sur un plan fariné, abaisser la pâte pour foncer un moule à tarte à fond amovible de 24 cm de diamètre, piquer la pâte à l'aide d'une fourchette et mettre au réfrigérateur 30 minutes.

2 Dans une casserole, faire fondre le beurre, ajouter les lardons et les oignons émincés, et cuire 25 minutes à feu doux, en ajoutant 1 cuillerée à soupe d'eau si les oignons commencent à brunir.

3 Incorporer l'œuf battu, le fromage et la sauge, saler et poivrer selon son goût et garnir le fond de tarte de la préparation obtenue.

4 Cuire au four préchauffé, à 180 °C (th. 6), 20 à 30 minutes, jusqu'à ce que la garniture soit prise, sortir du four et laisser tiédir. Démouler et servir immédiatement ou laisser refroidir.

petits gâteaux

Si les petits gâteaux vous évoquent des gourmandises trop sucrées, recouvertes de glaçage rose ou de noix de coco, vous vous trompez ! Ces recettes vous attireront irrésistiblement à vos fourneaux.

Ces petits gâteaux sont très faciles et rapides à préparer car ils cuisent vite et n'utilisent que des ingrédients courants. Si vous n'en n'avez pas mangé depuis votre enfance, c'est le moment de les redécouvrir, car eux aussi ont grandi et sont maintenant servis dans les grandes occasions. Goûtez à la saveur inhabituelle des petits fours à la lavande (page 160) ou des papillons au citron (page 162). La plupart des gâteaux les plus simples de ce chapitre, tels que les pavés au capuccino (page 164) ou les blondies aux noix et à la cannelle (page 166), sont cuits dans de grands moules puis découpés en portions. Ils sont adaptés aux anniversaires et aux grandes fêtes mais n'oubliez pas de les soustraire à la vue de votre entourage si vous ne voulez pas qu'ils disparaissent avant le début des festivités ! Les meringues sont toujours très appréciées. Essayez les meringues brunes (page 171) à la délicieuse saveur caramélisée et les délicates meringues aux fraises et à l'eau de rose (page 172). N'oublions pas les petits gâteaux traditionnellement servis avec le thé anglais tels que les scones au babeurre (page 184), les scones gallois (page 186) et les pancakes écossais au beurre à l'orange (page 188), ou les classiques mais délicieux muffins américains. Les muffins salés au fromage (page 193) ou les muffins à la pancetta et à la polenta (page 192) conviendront pour vos brunchs ou en accompagnement de soupes.

petits fours à la lavande

pour 12 petits fours

**préparation : 15 min,
refroidissement : 20 min**

cuisson : 12 à 15 min

Drôle d'ingrédient direz-vous, mais la lavande apporte un parfum et une saveur spéciale à ces petits fours qui vous réjouira les papilles.

INGRÉDIENTS

115 g de sucre roux en poudre

115 g de beurre, en pommade

2 œufs, battus

1 cuil. à soupe de lait

1 cuil. à café de fleurs de lavande, finement hachées

½ cuil. à café d'extrait de vanille

175 g de farine levante, tamisée

140 g de sucre glace

DÉCORATION

fleurs de lavande

dragées argentées

VALEURS NUTRITIONNELLES

Calories 217

Protéines . . . . .3 g

Glucides . . . . .56 g

Lipides . . . . .9 g

Acides gras saturés . . . . . . .6 g

variante

Ajoutez un peu de colorant alimentaire violet au glaçage pour lui donner une légère coloration lilas assortie à la lavande.

conseil

Veillez toujours à ce que les fleurs de lavande soient consommables et dépourvues de produits chimiques ou d'insecticides.

1 Préchauffer le four à 200 °C (th. 6-7) et disposer 12 caissettes en papier dans un moule à muffins. Dans une jatte, battre le beurre en crème avec le sucre jusqu'à ce que le mélange blanchisse, incorporer progressivement les œufs et ajouter le lait, la lavande et l'extrait de vanille. Incorporer la farine.

2 Répartir la préparation dans les caissettes et cuire au four préchauffé 12 à 15 minutes, jusqu'à ce que les petits fours aient levé et soient dorés et élastiques au toucher. Dans une jatte, tamiser le sucre glace et incorporer assez d'eau pour obtenir un glaçage épais.

3 Transférer les petits fours sur une grille, napper d'une cuillerée de glaçage et décorer de fleurs de lavande et de dragées argentées. Laisser refroidir et servir.

papillons au citron

pour 12 papillons | **préparation : 20 min,** ⏲ **refroidissement : 30 min** | **cuisson : 15 à 20 min** ♨

Ces papillons vous rappelleront peut-être des souvenirs d'enfance, mais ces mini-délices crémeux ne sont pas interdits aux adultes !

INGRÉDIENTS

115 g de farine levante

½ cuil. à café de levure chimique

115 g de beurre, en pommade

115 g de sucre roux en poudre

2 œufs, battus

zeste finement râpé d'un demi-citron

2 à 4 cuil. à soupe de lait

sucre glace, pour saupoudrer

GARNITURE

55 g de beurre

115 g de sucre glace

1 cuil. à soupe de jus de citron

VALEURS NUTRITIONNELLES

Calories 227

Protéines . . . . .2 g

Glucides . . . . .48 g

Lipides . . . . .13 g

Acides gras saturés . . . . . . .8 g

variante

Pour que ces gâteaux soient encore plus attrayants, garnissez-les de quelques lamelles de fraises.

conseil

Si vous manquez de temps et que voulez accélérer la préparation, mélangez les ingrédients dans un robot de cuisine.

1 Préchauffer le four à 190 °C (th. 6-7) et disposer 12 caissettes en papier dans un moule à muffins. Dans une jatte, tamiser la farine et la levure, ajouter le beurre, le sucre, les œufs, le zeste de citron et le lait de façon à obtenir une consistance homogène, répartir dans les caissettes et cuire au four préchauffé 15 à 20 minutes, jusqu'à ce que les gâteaux aient levé et soient dorés. Sortir du four, transférer sur une grille et laisser refroidir.

2 Dans une jatte, mettre le beurre, tamiser le sucre glace et ajouter le jus de citron en battant de façon à ce que le mélange blanchisse. À l'aide d'un couteau tranchant, découper un rond au sommet de chaque gâteau et découper les ronds en deux.

3 Verser un peu de crème au beurre au centre de chaque gâteau, planter 2 demi-ronds de façon à donner une forme d'ailes, et saupoudrer les gâteaux de sucre glace. Servir.

pavés au capuccino

pour 15 pavés **préparation : 10 min,** 🕑 **refroidissement : 30 min** **cuisson : 35 à 40 min** 🕑

Extrêmement faciles à préparer, ces délicieux pavés au capuccino feront le régal des enfants pour des goûters d'anniversaire.

INGRÉDIENTS

225 g de beurre, en pommade, un peu plus pour graisser

225 g de farine levante

1 cuil. à café de levure chimique

1 cuil. à café de cacao en poudre, un peu plus pour saupoudrer

225 g de sucre roux en poudre

4 œufs, battus

3 cuil. à soupe de café soluble dissous dans 2 cuil. à soupe d'eau chaude

GLAÇAGE AU CHOCOLAT BLANC

115 g de chocolat blanc, cassé en morceaux

55 g de beurre, en pommade

3 cuil. à soupe de lait

175 g de sucre glace

VALEURS NUTRITIONNELLES	
Calories	.357
Protéines	.4 g
Glucides	.77 g
Lipides	.20 g
Acides gras saturés	.12 g

variante

Si vous souhaitez améliorer la décoration, déposez un grain de café au chocolat sur chaque carré.

conseil

Lorsque vous faites fondre les ingrédients du glaçage, veillez à ce que le fond de la jatte ne touche pas l'eau, sinon le chocolat durcira et sera inutilisable.

1 Préchauffer le four à 180 °C (th. 6), graisser un moule de 28 x 18 cm et chemiser de papier sulfurisé. Dans une jatte, tamiser la farine, la levure et le cacao, ajouter le beurre, le sucre, les œufs et le café, et mélanger à la main ou à l'aide d'un batteur électrique jusqu'à obtention d'une consistance homogène. Garnir le moule de la préparation obtenue et lisser la surface.

2 Cuire au four préchauffé 35 à 40 minutes, jusqu'à ce que le gâteau ait levé et soit ferme, laisser tiédir 10 minutes et sortir du four. Démouler, transférer sur une grille et laisser refroidir complètement. Mettre le chocolat, le beurre et le lait dans une jatte, disposer sur une casserole d'eau, sans que la jatte touche l'eau, et chauffer à feu doux jusqu'à ce que le chocolat fonde.

3 Retirer la jatte de la casserole, tamiser le sucre glace et incorporer. Battre jusqu'à obtention d'une consistance homogène, napper le gâteau et saupoudrer de cacao tamisé. Découper en carrés et servir.

blondies aux noix et à la cannelle

pour 9 blondies

préparation : 10 min,
refroidissement : 30 min

cuisson : 25 à 30 min

Les « blondies » sont des brownies sans chocolat !
Ils sont absolument délicieux avec une tasse de café chaud.

INGRÉDIENTS

115 g de beurre, un peu plus
pour graisser
225 g de sucre roux en poudre
1 œuf
1 jaune d'œuf
140 g de farine levante
1 cuil. à café de cannelle en poudre
85 g de noix, grossièrement hachées

VALEURS NUTRITIONNELLES

Calories	325
Protéines	. . . . .4 g
Glucides	. . . . .65 g
Lipides	. . . . .18 g
Acides gras saturés	. . . . . . .8 g

conseil

Ne hachez pas les noix
trop finement car
les blondies doivent avoir
de la texture et être
légèrement croustillants.

1 Préchauffer le four
à 180 °C (th. 6), graisser
un moule carré de 18 cm et
chemiser de papier sulfurisé.
Dans une casserole, mettre
le beurre et le sucre, chauffer
à feu doux sans cesser de
remuer jusqu'à ce que le sucre
soit dissous, et cuire encore
1 minute sans cesser de remuer
et sans laisser bouillir. Laisser
tiédir 10 minutes.

2 Incorporer l'œuf entier
et le jaune d'œuf,
tamiser la farine et la cannelle,
et ajouter les noix. Mélanger
rapidement, garnir le moule
de la préparation obtenue
et cuire au four préchauffé
20 à 25 minutes, jusqu'à
ce que le gâteau soit élastique
au centre et que la pointe
d'un couteau piquée au centre
ressorte sans trace de pâte.

3 Sortir du four, laisser
tiédir et passer
un couteau le long des parois
de façon à détacher le gâteau.
Transférer sur une grille, retirer
le papier et laisser refroidir
complètement. Découper
en carrés et servir.

brownies au moka

cuisson : 30 à 35 min

préparation : 10 min, refroidissement : 30 min

pour 16 brownies

Le café confère à ces brownies une saveur sophistiquée.
Un plaisir idéal pour l'après-midi.

VALEURS NUTRITIONNELLES	
Calories	160
Protéines	. . . . .2 g
Glucides	. . . . .37 g
Lipides	. . . . .8 g
Acides gras saturés	. . . . . . .4 g

INGRÉDIENTS

55 g de beurre, un peu plus
pour graisser
115 g de chocolat noir, cassé
en morceaux
175 g de sucre roux en poudre
2 œufs
1 cuil. à soupe de café soluble dissous
dans 1 cuil. à soupe d'eau chaude,
refroidie
85 g de farine
½ cuil. à café de levure chimique
55 g de noix de pécan, grossièrement
hachées

conseil

Les brownies rétrécissent
légèrement et se fendillent
en refroidissant. C'est tout
à fait normal, et c'est ce qui
leur donne leur texture
délicieuse et dense.

1 Préchauffer le four
à 180 °C (th. 6), graisser
un moule carré de 20 cm et
chemiser de papier sulfurisé.
Dans une casserole à fond
épais, mettre le chocolat
et le beurre, chauffer à feu
doux jusqu'à ce que le chocolat
fonde et remuer. Laisser refroidir.

2 Dans une jatte, mettre le
sucre et les œufs, battre

jusqu'à ce que le mélange
blanchisse et incorporer
la préparation à base de chocolat
et le café refroidi. Tamiser
la farine et la levure, incorporer
délicatement à la préparation
et ajouter les noix de pécan.

3 Garnir le moule de
la préparation obtenue
et cuire au four préchauffé
25 à 30 minutes, jusqu'à

ce que le gâteau soit ferme
et que la pointe d'un couteau
piquée au centre ressorte sans
trace de pâte.

4 Sortir du four, laisser
tiédir et passer un
couteau le long des parois
de façon à détacher le gâteau.
Transférer sur une grille, retirer
le papier et laisser refroidir.
Découper en carrés et servir.

sablés au mincemeat

pour 12 sablés

préparation : 20 min, ☾
refroidissement : 1 heure

cuisson : 32 à 35 min ♨

Ces sablés reprennent la garniture des gâteaux traditionnels servis en Angleterre pour Noël. Mais ne les réservez pas à la saison des fêtes, ils seront appréciés toute l'année !

INGRÉDIENTS

400 g de mincemeat

sucre glace, pour saupoudrer

FOND

140 g de beurre, un peu plus pour graisser

85 g de sucre roux en poudre

140 g de farine

85 g de maïzena

PÂTE SABLÉE

115 g de farine levante

85 g de beurre, coupé en dés

85 g de sucre roux en poudre

25 g d'amandes effilées

VALEURS NUTRITIONNELLES

Calories	395
Protéines	. . . . .3 g
Glucides	. . . . .95 g
Lipides	. . . . .18 g
Acides gras saturés	. . . . . .11 g

variante

Ajoutez une cuillerée à café de cannelle en poudre ou de mélange d'épices à la garniture pour en rehausser la saveur.

conseil

Veillez à bien cuire la pâte. Pas assez cuite, elle ne sera pas assez croustillante.

1 Beurrer un moule de 28 x 20 cm. Dans une jatte, battre le beurre en crème avec le sucre jusqu'à ce que le mélange blanchisse, tamiser la farine et la maïzena, et façonner une boule avec les mains. Foncer le moule avec la pâte en appuyant avec les doigts de façon à la répartir dans les coins et à la faire remonter le long des parois.

Mettre au réfrigérateur 20 minutes, préchauffer le four à 200 °C (th. 6-7) et cuire au four préchauffé 12 à 15 minutes, jusqu'à ce que le fond soit doré.

2 Pour la pâte sablée, mettre la farine et le sucre dans une jatte, incorporer le beurre avec les doigts de façon à obtenir

une consistance de chapelure et incorporer les amandes.

3 Répartir le mincemeat sur le fond, parsemer de pâte sablée et cuire encore 20 minutes, jusqu'à ce que le gâteau soit bien doré. Sortir du four, laisser tiédir et découper en douze. Laisser refroidir, saupoudrer de sucre glace et servir.

gâteaux à la noix de coco et aux cerises

pour 8 gâteaux

préparation : 15 min, ⏱
refroidissement : 20 min

cuisson : 20 à 25 min ⏱

La noix de coco donne du moelleux à ces gâteaux ainsi qu'une saveur sucrée qui plaira à n'en pas douter aux enfants.

INGRÉDIENTS

115 g de beurre, en pommade

115 g de sucre roux en poudre

2 cuil. à soupe de lait

2 œufs, battus

85 g de farine levante

½ cuil. à café de levure chimique

85 g de noix de coco déshydratée, râpée

115 g de cerises confites, coupées en quartiers

VALEURS NUTRITIONNELLES	
Calories 320	
Protéines . . . . .4 g	
Glucides . . . . .60 g	
Lipides . . . . .20 g	
Acides gras saturés . . . . . .14 g	

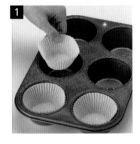

variante

Vous pouvez remplacer les cerises par des raisins secs, des abricots secs hachés ou des myrtilles séchées.

1 Préchauffer le four à 180 °C (th. 6) et disposer 8 caissettes en papier dans 1 ou 2 moules à muffins. Dans une jatte, battre le beurre en crème avec le sucre jusqu'à ce que le mélange blanchisse et incorporer le lait.

2 Incorporer les œufs progressivement, tamiser la farine et la levure, et mélanger en ajoutant la noix de coco. Réserver quelques cerises, incorporer les cerises restantes et garnir les caissettes de la préparation obtenue. Garnir de cerises.

3 Cuire au four préchauffé 20 à 25 minutes, jusqu'à ce que les gâteaux soient dorés et fermes au toucher, sortir du four et transférer sur une grille. Laisser refroidir et servir.

meringues brunes

⏱ **cuisson : 2 à 3 heures**

🕐 **préparation : 30 min,
refroidissement : 20 min**

pour 18 meringues

*Le sucre roux utilisé dans la préparation de ces meringues dégage
un délicieux arôme caramélisé pendant la cuisson.*

VALEURS NUTRITIONNELLES
Calories 102
Protéines . . . . .1 g
Glucides . . . . .22 g
Lipides . . . . .7 g
Acides gras saturés . . . . . .4 g

INGRÉDIENTS

3 blancs d'œufs

**175 g de sucre roux en poudre, tamisé,
un peu plus pour saupoudrer**

300 ml de crème fouettée

variante

Pour faire des meringues
aux noisettes, saupoudrez
les meringues de noisettes
grillées hachées avant
la cuisson.

1 Préchauffer le four
à 110 °C (th. 3-4)
et chemiser 2 plaques de four
de papier sulfurisé. Dans
une jatte, battre les blancs
d'œufs en neige ferme.

2 Incorporer le sucre
très progressivement
en battant après chaque ajout
de sorte que le sucre soit
dissous et mélangé aux blancs
d'œufs. Disposer des cuillerées
de meringue sur les plaques
et saupoudrer de sucre.

3 Cuire au four préchauffé
2 à 3 heures, jusqu'à
ce que les meringues soient
sèches, en intervertissant
les plaques en milieu
de cuisson, sortir du four et
laisser refroidir. Dans une jatte,
fouetter la crème, façonner
des sandwiches en soudant
deux meringues et servir.

meringues aux fraises et à l'eau de rose

pour 12 meringues

préparation : 30 min, ⏱
refroidissement : 20 min

cuisson : 1 heure ⏱

L'eau de rose apporte un parfum exotique à la délicieuse garniture
de crème fouettée dans ces superbes meringues aux fraises.

INGRÉDIENTS

2 blancs d'œufs

115 g de sucre en poudre

3 cuil. à soupe d'eau de rose

150 ml de crème fraîche épaisse

GARNITURE

55 g de fraises

2 cuil. à café de sucre glace

DÉCORATION

12 fraises fraîches

pétales de rose

VALEURS NUTRITIONNELLES

Calories 104

Protéines . . . . .1 g

Glucides . . . . .24 g

Lipides . . . . .6 g

Acides gras saturés . . . . . . .4 g

variante

Vous pouvez remplacer les fraises
par des framboises ou mélanger
les deux fruits.

conseil

Lorsque vous incorporez
le sucre aux blancs d'œufs,
celui-ci doit se dissoudre
progressivement dans
les blancs. Veillez à utiliser
une jatte parfaitement propre,
sinon la meringue retombera.

1 Préchauffer le four
à 110 °C (th. 3-4)
et chemiser 2 plaques de four
de papier sulfurisé. Dans une
jatte, battre les blancs en neige
ferme, incorporer la moitié
du sucre sans cesser de battre,
et ajouter le sucre restant.

2 Transférer la meringue
dans une poche
à douille munie d'un gros

embout en forme d'étoile,
façonner 12 doigts de meringue
de 7,5 cm sur les plaques et cuire
au four préchauffé 1 heure,
jusqu'à ce que les meringues
soient sèches et croustillantes.
Sortir du four, transférer sur
une grille et laisser refroidir.

3 Réduire les fraises
en purée dans un robot
de cuisine, passer la purée

dans une passoire disposée sur
une jatte et incorporer le sucre
glace et l'eau de rose. Dans
une autre jatte, fouetter la
crème, incorporer la préparation
à base de fraises et mélanger.

4 Former des sandwiches
en soudant 2 meringues
avec la crème aux fraises,
couper 6 fraises en deux
et décorer les meringues.

Parsemer de pétales de rose
et servir immédiatement
avec les 6 dernières fraises
entières.

rochers aux cerises et aux raisins

pour 10 rochers

préparation : 10 min,

refroidissement : 30 min

cuisson : 10 à 15 min

Les rochers sont toujours appréciés et sont, en plus, rapides et faciles à préparer. Ils sont bien meilleurs dégustés le jour même.

INGRÉDIENTS

85 g de beurre, un peu plus
pour graisser

250 g de farine levante

1 cuil. à café de mélange d'épices

85 g de sucre roux en poudre,
un peu plus pour saupoudrer

55 g de cerises confites, coupées
en quartiers

55 g de raisins de Smyrne

1 œuf

2 cuil. à soupe de lait

VALEURS NUTRITIONNELLES

Calories 224

Protéines . . . . .3 g

Glucides . . . . .55 g

Lipides . . . . .8 g

Acides gras saturés . . . . . . .5 g

variante

Vous pouvez remplacer les cerises et les raisins par un mélange de fruits séchés.

conseil

Lorsque vous placez la préparation sur la plaque de four, n'essayez pas de faire de jolis tas, ils doivent ressembler à des rochers, comme leur nom l'indique !

1 Préchauffer le four à 200 °C (th. 6-7) et beurrer une plaque de four. Dans une jatte, tamiser la farine et les épices, incorporer le beurre avec les doigts de façon à obtenir une consistance de chapelure et incorporer le sucre, les cerises et les raisins de Smyrne.

2 Dans une jatte, casser l'œuf, incorporer le lait et verser le mélange obtenu dans la préparation précédente en réservant une petite partie. Mélanger à l'aide d'une fourchette de façon à obtenir une pâte épaisse en ajoutant du mélange à base d'œuf si nécessaire.

3 Façonner 10 rochers sur les plaques à l'aide de deux fourchettes, saupoudrer de sucre roux et cuire au four préchauffé 10 à 15 minutes, jusqu'à ce qu'ils soient dorés et fermes au toucher. Sortir du four, laisser tiédir 2 minutes et transférer sur une grille. Laisser refroidir complètement.

muffins aux pommes et à la cannelle

pour 6 muffins   **préparation : 15 min**   **cuisson : 20 à 25 min**

Ces muffins épicés sont rapides et faciles à préparer, à partir de quelques ingrédients que vous avez en réserve et de deux petites pommes. La garniture sucrée en fait un véritable délice fruité.

INGRÉDIENTS

85 g de farine complète

70 g de farine

½ cuil. à café de levure chimique

1 pincée de sel

1 cuil. à café de cannelle en poudre

40 g de sucre roux en poudre

2 petites pommes à cuire, pelées, évidées et finement hachées

125 ml de lait

1 œuf, battu

55 g de beurre, fondu

GARNITURE

12 morceaux de sucre roux, grossièrement concassés

½ cuil. à café de cannelle en poudre

VALEURS NUTRITIONNELLES

Calories 250

Protéines . . . . .5 g

Glucides . . . . .58 g

Lipides . . . . .10 g

Acides gras saturés . . . . . . .6 g

variante

Vous pouvez, si vous le souhaitez, diviser cette préparation en 12 portions pour des mini-muffins.

conseil

Travaillez vite, parce qu'une fois découpée, la chair des pommes noircit au contact de l'air.

1 Préchauffer le four à 200 °C (th. 6-7) et disposer 6 caissettes en papier dans un moule à muffins.

2 Dans une jatte, tamiser les farines, le sel, la levure et la cannelle, et incorporer le sucre et les pommes.

Dans une autre jatte, mettre le lait, l'œuf et le beurre, mélanger et incorporer à la préparation précédente en battant rapidement et délicatement.

3 Répartir la préparation dans les caissettes, mélanger le sucre écrasé

et la cannelle, et saupoudrer les muffins. Cuire au four préchauffé 20 à 25 minutes, jusqu'à ce que les muffins aient levé et soient dorés, sortir du four et servir immédiatement ou laisser refroidir.

muffins aux trois chocolats

pour 11 muffins **préparation : 15 min** **cuisson : 20 min**

Ces muffins crémeux, largement garnis de chocolat, sont un véritable plaisir pour les fondus de chocolat.

INGRÉDIENTS

250 g de farine

25 g de cacao en poudre

2 cuil. à café de levure chimique

½ cuil. à café de bicarbonate de soude

100 g de pépites de chocolat noir

100 g de pépites de chocolat blanc

2 œufs, battus

300 ml de crème aigre

85 g de sucre roux en poudre

85 g de beurre, fondu

VALEURS NUTRITIONNELLES

Calories 340

Protéines . . . . .6 g

Glucides . . . . .59 g

Lipides . . . . .19 g

Acides gras saturés . . . . . .11 g

conseil

Comme pour tous les muffins, ces délices chocolatés sont bien meilleurs dégustés le jour même.

1 Préchauffer le four à 200 °C (th.6-7) et disposer 11 caissettes en papier dans un moule à muffins. Dans une jatte, tamiser la farine, le cacao en poudre, la levure et le bicarbonate de soude, ajouter les pépites de chocolat noir et blanc, et mélanger.

2 Dans une autre jatte, mettre les œufs, la crème aigre, le sucre et le beurre, mélanger et incorporer à la préparation précédente en battant rapidement et délicatement.

3 Répartir la préparation dans les caissettes à l'aide de deux fourchettes, cuire au four préchauffé 20 minutes, jusqu'à ce que les muffins aient levé et soient fermes au toucher, et sortir du four. Servir immédiatement ou laisser refroidir.

pancakes au citron et à la ricotta

cuisson : 20 à 30 min   **préparation : 10 min**   **pour 15 pancakes**

Ces crêpes épaisses et moelleuses peuvent être servies
au petit déjeuner, et font aussi un succulent dessert.

VALEURS NUTRITIONNELLES	
Calories 88	
Protéines . . . . .3 g	
Glucides . . . . .14 g	
Lipides . . . . .5 g	
Acides gras saturés . . . . . . .3 g	

INGRÉDIENTS

250 g de ricotta

5 cuil. à soupe de sucre roux en poudre

3 gros œufs, blancs et jaunes séparés

zeste finement râpé d'un citron

2 cuil. à soupe de beurre, fondu

55 g de farine

**confiture de cerises ou de myrtilles,
chaude, en accompagnement**

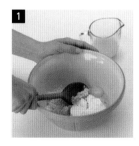

conseil

N'étalez pas la pâte
à pancakes trop finement
dans la poêle. Une fois cuits,
les pancakes doivent avoir
un diamètre de 10 à 13 cm.

1 Dans une jatte, mettre la ricotta, le sucre et les jaunes d'œufs, mélanger et incorporer le zeste de citron et le beurre fondu. Tamiser la farine et l'incorporer. Dans une autre jatte, battre les blancs d'œufs en neige ferme et incorporer délicatement à la préparation précédente.

2 Chauffer une poêle antiadhésive à feu moyen, ajouter 3 cuillerées à soupe de pâte et la laisser se répandre dans la poêle. Cuire 1 à 2 minutes, jusqu'à ce que la base soit dorée, retourner à l'aide d'une spatule et cuire l'autre face 2 minutes.

3 Réserver au chaud dans un torchon, répéter l'opération avec la pâte restante et servir avec la confiture chaude.

sablés moelleux fourrés aux pommes

cuisson : 25 min   **préparation : 25 min**   **pour 4 sablés**

VALEURS NUTRITIONNELLES	
Calories 511	
Protéines . . . . .5 g	
Glucides . . . . .113 g	
Lipides . . . . .24 g	
Acides gras saturés . . . . . .15 g	

*Ce dessert américain, constitué d'un sablé moelleux coupé
en deux et garni de tranches de pommes et de crème fouettée,
peut être consommé chaud ou froid.*

INGRÉDIENTS

150 g de farine, un peu plus
pour abaisser la pâte

½ cuil. à café de sel

1 cuil. à café de levure chimique

1 cuil. à soupe de sucre en poudre

25 g de beurre, coupé en dés, un peu
plus pour graisser

50 ml de lait

sucre glace, pour décorer (facultatif)

GARNITURE

3 pommes à couteau, pelées,
évidées et coupées en lamelles

100 g de sucre en poudre

1 cuil. à soupe de jus de citron

1 cuil. à café de cannelle en poudre

300 ml d'eau

150 ml de crème fraîche épaisse,
légèrement fouettée

variation

Utilisez d'autres fruits que les pommes,
et remplacez la cannelle par de la noix
muscade en poudre.

conseil

Ces gâteaux non garnis
se conservent 3 à 5 jours
dans un récipient hermétique.
Un fois garnis, conservez-les au
réfrigérateur 24 heures.

1 Préchauffer le four
à 220 °C (th. 7-8)
et beurrer une plaque de four.
Dans une jatte, tamiser
la farine, le sel et la levure,
ajouter le sucre et incorporer
le beurre avec les doigts
de façon à obtenir une
consistance de chapelure.
Ajouter le lait, mélanger
jusqu'à obtention d'une pâte
souple et pétrir.

2 Abaisser la pâte
de sorte qu'elle ait
environ 1 cm d'épaisseur,
découper 4 ronds à l'aide
d'un emporte-pièce de 5 cm
de diamètre et disposer sur
la plaque de four.

3 Cuire au four préchauffé
15 minutes, jusqu'à
ce que les sablés soient levés
et dorés, et laisser tiédir.

4 Pour la garniture,
mettre les lamelles
de pomme, le sucre, le jus
de citron, la cannelle et l'eau
dans une casserole, porter
à ébullition et laisser mijoter
5 à 10 minutes à découvert,
jusqu'à ce que les pommes
ramollissent. Laisser tiédir
et retirer les pommes de
la casserole à l'aide d'une
écumoire.

5 Couper les sablés dans
l'épaisseur, répartir les
pommes et la crème fouettée
sur les fonds et recouvrir
des moitiés restantes. Servir
saupoudré de sucre glace.

scones aux cerises confites

pour 8 scones **préparation : 10 min** ⏲ **cuisson : 10 min** ⏲

Les cerises confites confèrent saveur et originalité à ces traditionnels scones à l'anglaise.

INGRÉDIENTS

225 g de farine levante, un peu
plus pour abaisser la pâte
1 cuil. à soupe de sucre en poudre
1 pincée de sel
75 g de beurre, coupé en dés, un peu
plus pour graisser et tartiner
40 g de cerises confites, coupées
en morceaux
40 g de raisins secs
1 œuf, battu
50 ml de lait

VALEURS NUTRITIONNELLES

Calories 211

Protéines . . . . .4 g

Glucides . . . . .41 g

Lipides . . . . .9 g

Acides gras saturés . . . . . .6 g

conseil

Ces scones peuvent être facilement congelés, mais ils sont meilleurs frais et consommés dans le mois.

1 Préchauffer le four à 220 °C (th. 7-8) et beurrer une plaque de four. Dans une jatte, tamiser la farine, le sucre et le sel, incorporer le beurre avec les doigts de façon à obtenir une consistance de chapelure et ajouter les cerises confites, les raisins et l'œuf battu. Réserver 1 cuillerée à soupe de lait et incorporer le lait restant à la préparation précédente de façon à obtenir une pâte molle.

2 Sur un plan fariné, abaisser la pâte de sorte qu'elle ait 2 cm d'épaisseur, découper 8 scones à l'aide d'un emporte-pièce de 5 cm de diamètre et disposer les scones sur la plaque de four. Enduire de lait.

3 Cuire au four préchauffé 8 à 10 minutes, jusqu'à ce que les scones soient dorés, sortir du four et transférer sur une grille. Laisser refroidir, tartiner de beurre et servir.

petits scones

cuisson : 10 min **préparation : 10 min** **pour 8 scones**

Ces petits scones sont aussi légers que les scones traditionnels mais leur saveur est rehaussée par le sirop de sucre de canne.

VALEURS NUTRITIONNELLES
Calories 208
Protéines . . . . .4 g
Glucides . . . . .39 g
Lipides . . . . .9 g
Acides gras saturés . . . . . . .6 g

INGRÉDIENTS

75 g de beurre, coupé en dés, un peu plus pour graisser et tartiner

225 g de farine levante, un peu plus pour abaisser la pâte

1 cuil. à soupe de sucre en poudre

1 pincée de sel

1 pomme à couteau, pelée, évidée et hachée

1 œuf, battu

2 cuil. à soupe de sirop de sucre de canne

5 cuil. à soupe de lait

conseil

Ces scones peuvent être congelés mais sont meilleurs s'ils sont consommés dans le mois. Avant de les congeler, assurez-vous qu'ils ont bien refroidi.

1 Préchauffer le four à 220 °C et beurrer une plaque de four. Dans une jatte, tamiser la farine, le sucre et le sel, incorporer le beurre avec les doigts de façon à obtenir une consistance de chapelure fine et incorporer la pomme hachée.

2 Dans une autre jatte, battre l'œuf, le sirop de sucre de canne et le lait, incorporer à la préparation précédente et mélanger jusqu'à obtention d'une pâte souple.

3 Sur un plan fariné, abaisser la pâte de sorte qu'elle ait 2 cm d'épaisseur et découper 8 scones à l'aide d'un emporte-pièce de 5 cm de diamètre.

4 Disposer les scones sur la plaque, cuire au four préchauffé 8 à 10 minutes et sortir du four. Transférer sur une grille, laisser refroidir et servir les scones coupés en deux et tartinés de beurre.

scones au babeurre

pour 8 scones   **préparation : 15 min**   **cuisson : 12 à 15 min**

Le babeurre donne à ces délicieux scones un goût extrêmement léger et une saveur acidulée.

INGRÉDIENTS

55 g de beurre froid, coupé en dés,
un peu plus pour graisser

300 g de farine levante, un peu plus
pour abaisser la pâte

1 cuil. à café de levure chimique

1 pincée de sel

40 g de sucre roux en poudre

300 ml de babeurre

2 cuil. à soupe de lait

ACCOMPAGNEMENT

crème fouettée

confiture de fraises

VALEURS NUTRITIONNELLES

Calories 210

Protéines . . . . .5 g

Glucides . . . . .44 g

Lipides . . . . .6 g

Acides gras saturés . . . . . . .4 g

variante

Ces scones sont succulents servis
avec de la crème fouettée et des fraises
fraîches émincées.

conseil

Plongez l'emporte-pièce
dans un peu de farine pour
éviter qu'il adhère à la pâte
lorsque vous découpez
les scones.

1 Préchauffer le four
à 220 °C (th. 7-8)
et beurrer une plaque de tour.
Dans une jatte, tamiser la farine,
la levure et le sel, incorporer
le beurre avec les doigts de
façon à obtenir une consistance
de chapelure et ajouter le sucre
et le babeurre en mélangeant
rapidement.

2 Sur un plan fariné,
pétrir légèrement
la pâte, abaisser de sorte qu'elle
ait 2,5 cm d'épaisseur
et découper les scones à l'aide
d'un emporte-pièce de 6 cm
de diamètre lisse ou cannelé.
Disposer sur la plaque
et répéter l'opération avec
la pâte restante.

3 Enduire les scones
de lait, cuire au four
préchauffé 12 à 15 minutes,
jusqu'à ce qu'ils aient levé et
soient dorés, et sortir du four.
Transférer sur une grille, couper
en deux et servir accompagné
de crème fouettée et de
confiture de fraises.

scones gallois

pour 16 scones **préparation : 15 min** **cuisson : 18 min**

Vous n'avez même pas besoin d'allumer le four pour confectionner ces petits scones. Ils étaient traditionnellement cuits sur une plaque au-dessus d'un feu, mais une sauteuse convient tout autant !

INGRÉDIENTS

225 g de farine levante
1 pincée de sel
55 g de graisse végétale
55 g de beurre, un peu plus
pour graisser

85 g de sucre roux en poudre
85 g de raisins de Corinthe
1 œuf, battu
1 cuil. à soupe de lait (facultatif)
sucre en poudre, pour décorer

VALEURS NUTRITIONNELLES

Calories 143

Protéines . . . . .2 g

Glucides . . . . .29 g

Lipides . . . . .7 g

Acides gras saturés . . . . . . .3 g

variante

Vous pouvez remplacer les raisins de Corinthe par des raisins de Smyrne ou des cerises confites hachées.

conseil

Veillez à ce que la chaleur sous la tôle ou la sauteuse reste basse pendant la cuisson pour éviter de brûler la surface des scones.

1 Dans une jatte, tamiser la farine et le sel, incorporer la graisse et le beurre avec les doigts de façon à obtenir une consistance de chapelure et ajouter le sucre et les raisins. Ajouter l'œuf et éventuellement le lait de façon à obtenir une pâte souple qui ne colle pas.

2 Sur un plan fariné, abaisser la pâte de sorte qu'elle ait 5 mm d'épaisseur, découper les scones à l'aide d'un emporte-pièce de 6 cm de diamètre lisse ou cannelé et répéter l'opération avec la pâte restante.

3 Graisser une sauteuse à fond épais, chauffer à feu doux et cuire 6 scones à la fois 3 minutes de chaque côté, jusqu'à ce qu'ils soient dorés. Saupoudrer de sucre et servir chaud ou froid.

pancakes écossais au beurre à l'orange

pour 20 pancakes   **préparation : 15 à 20 min**   **cuisson : 15 à 20 min**

Les pancakes écossais traditionnels sont également appelés
« drop scones », mais quel que soit leur nom, ils sont toujours
les bienvenus avec le thé.

INGRÉDIENTS

225 g de farine levante

2 cuil. à café de levure chimique

1 pincée de sel

25 g de sucre roux en poudre

1 œuf

225 ml de lait

beurre, pour graisser

BEURRE À L'ORANGE

175 g de beurre

25 g de sucre glace, tamisé

zeste finement râpé d'une orange

2 cuil. à soupe de jus d'orange

VALEURS NUTRITIONNELLES

Calories	124
Protéines	. . . . .2 g
Glucides	. . . . .15 g
Lipides	. . . . .8 g
Acides gras saturés	. . . . . . .5 g

variante

Pour remplacer le beurre à l'orange,
proposez du beurre et de la confiture
ou du miel avec les pancakes.

conseil

Faites chauffer la sauteuse
à feu doux et vérifiez
la température en y laissant
tomber une petite quantité
de pâte à pancake, elle doit
grésiller.

1 Pour le beurre à l'orange,
mettre les ingrédients
dans une jatte, mélanger
jusqu'à ce que le mélange
blanchisse et réserver
au réfrigérateur.

2 Dans une jatte, tamiser
la farine, la levure
et le sel, incorporer le sucre
et ménager un puits. Dans
une autre jatte, mettre l'œuf
et le lait, fouetter et verser
dans le puits. Incorporer
progressivement la farine
à l'aide d'une cuillère en bois
et mélanger jusqu'à obtention
d'une pâte homogène.

3 Graisser une sauteuse
à fond épais, chauffer
à feu moyen à vif et verser
une cuillerée de pâte. Cuire
2 à 3 minutes, jusqu'à ce que
des bulles se forment et que
la base soit dorée, retourner
à l'aide d'une spatule et cuire
encore 1 minute, jusqu'à ce
que l'autre côté soit doré.
Réserver au chaud dans un
torchon, répéter l'opération
avec la pâte restante et servir
avec le beurre à l'orange.

muffins aux fruits

🕐 **cuisson : 30 min**   🕐 **préparation : 10 min**   **pour 10 muffins**

variante

Si vous aimez les figues sèches, utilisez-les à la place des abricots pour une texture plus croquante. De plus, elles se marient bien avec le jus d'orange.

Ces petits muffins ne contiennent pas de beurre mais un peu d'huile de maïs. Ils sont parfumés à la banane, à l'abricot et à l'orange, ce qui fait de chaque bouchée un délice.

INGRÉDIENTS

225 g de farine levante complète

2 cuil. à café de levure chimique

25 g de sucre roux en poudre

100 g d'abricots secs, hachés

1 banane, réduite en purée et mélangée à 1 cuil. à soupe de jus d'orange

1 cuil. à café de zeste d'orange finement haché

300 ml de lait écrémé

1 œuf, battu

3 cuil. à soupe d'huile de maïs

2 cuil. à soupe de flocons d'avoine

compote de fruits, miel ou sirop d'érable, en accompagnement

conseil

L'huile de maïs n'a pas de goût particulier, elle convient donc parfaitement à la confection de pâtisseries. Si vous n'en trouvez pas, utilisez une autre huile faible en goût comme l'huile de tournesol.

1 Préchauffer le four à 200 °C (th. 6-7) et disposer 10 caissettes en papier dans un moule à muffins. Dans une jatte, tamiser la farine en ajoutant les résidus de son restés dans le tamis et incorporer le sucre et les abricots.

2 Ménager un puits au centre des ingrédients,

ajouter la banane, le lait, l'huile, le zeste d'orange et l'œuf battu dans le puits, et mélanger jusqu'à obtention d'une pâte épaisse. Répartir la préparation obtenue dans les caissettes en papier.

3 Parsemer de flocons d'avoine et cuire au four 25 à 30 minutes, jusqu'à ce que la pâte soit ferme et que

la pointe d'un couteau piquée au centre ressorte sans trace de pâte. Sortir du four, transférer sur une grille et laisser tiédir. Servir avec de la compote de fruits, du miel ou du sirop d'érable.

muffins à la pancetta et à la polenta

pour 12 muffins   **préparation : 20 min**   **cuisson : 20 à 25 min**

Ces muffins sont délicieux servis chauds pour un brunch ou comme accompagnement d'un ragoût de poulet ou de gibier.

INGRÉDIENTS

150 g de pancetta

150 g de farine levante

1 cuil. à soupe de levure chimique

1 cuil. à café de sel

250 g de polenta fine

55 g de sucre roux cristallisé

100 g de beurre, fondu

2 œufs, battus

300 ml de lait

VALEURS NUTRITIONNELLES

Calories 280

Protéines . . . . .7 g

Glucides . . . . .37 g

Lipides . . . . .15 g

Acides gras saturés . . . . . . .7 g

conseil

La pancetta est un lard italien fin. Si vous n'en trouvez pas, remplacez-la par de fines tranches de lard fumé maigre.

1 Préchauffer le four à 200 °C (th. 6-7) et le gril à température moyenne. Disposer 12 caissettes en papier dans 1 ou 2 moules à muffins. Passer la pancetta au gril préchauffé jusqu'à ce qu'elle soit croustillante, émietter et réserver.

2 Dans une terrine, tamiser la farine, le sel et la levure, et incorporer le sucre et la polenta. Dans une autre terrine, mettre le lait, le beurre et les œufs, remuer et incorporer à la préparation précédente en mélangeant rapidement.

3 Incorporer la pancetta, répartir la préparation dans les caissettes et cuire au four préchauffé 20 à 25 minutes, jusqu'à ce que les muffins soient dorés. Servir chaud ou froid.

muffins au fromage

🕐 **cuisson : 20 à 25 min**   🕐 **préparation : 15 min**   **pour 10 muffins**

Ces muffins salés sont exquis et accompagneront délicieusement
une soupe pour un repas gourmand.

VALEURS NUTRITIONNELLES	
Calories	260
Protéines	. . . . .9 g
Glucides	. . . . .29 g
Lipides	. . . . .13 g
Acides gras saturés	. . . . . . .7 g

INGRÉDIENTS

115 g de farine levante

1 cuil. à soupe de levure chimique

1 cuil. à café de sel

225 g de polenta fine

150 g de cheddar affiné, râpé

55 g de beurre, fondu

2 œufs, battus

1 gousse d'ail, hachée

300 ml de lait

conseil

La polenta, ou semoule
de maïs, est de plus en plus
répandue. La plupart des
supermarchés en vendent.

1 Préchauffer le four
à 200 °C (th. 6-7) et
disposer 10 caissettes en papier
dans 1 ou 2 moules à muffins.
Dans une terrine, tamiser
le sel, la farine et la levure,
et incorporer la polenta
et 115 g de fromage.

2 Dans une autre terrine,
mettre le beurre,
les œufs, l'ail haché et le lait,
mélanger et incorporer
à la préparation précédente
en mélangeant rapidement.

3 À l'aide d'une cuillère,
répartir la préparation
dans les caissettes, parsemer
de fromage et cuire au four
préchauffé 20 à 25 minutes,
jusqu'à ce que les muffins
soient dorés. Servir chaud
ou froid.

scones au fromage et à la ciboulette

pour 8 scones　　　　**préparation : 15 min**　　　　**cuisson : 10 min**

Ces scones salés remplacent avantageusement les sandwichs et accompagnent parfaitement les soupes.

INGRÉDIENTS

40 g de beurre, un peu plus
pour graisser
115 g de farine levante,
un peu plus pour abaisser la pâte
115 g de farine complète levante
1 cuil. à café de levure chimique
1 pincée de sel
85 g de cheddar, finement râpé
2 cuil. à soupe de ciboulette fraîche,
ciselée
3 cuil. à soupe de lait
ciboulette fraîche, en garniture

VALEURS NUTRITIONNELLES

Calories	182
Protéines	. . . . .6 g
Glucides	. . . . .22 g
Lipides	. . . . .9 g
Acides gras saturés	. . . . . . .5 g

conseil

Choisissez, pour ces scones, un cheddar affiné au parfum prononcé, afin de leur donner un goût fort, agréable en bouche.

1 Préchauffer le four à 220 °C (th. 7-8) et graisser une plaque de four. Dans une terrine, tamiser le sel, les farines et la levure, incorporer le beurre avec les doigts de façon à obtenir une consistance de chapelure et incorporer 55 g de fromage râpé et la ciboulette. Ajouter du lait de façon à obtenir une pâte homogène et légère.

2 Sur un plan fariné, abaisser la pâte de sorte qu'elle ait 2 cm d'épaisseur, découper des scones à l'aide d'un emporte-pièce de 6 cm de diamètre et répéter l'opération avec la pâte restante.

3 Disposer les scones sur la plaque de four, enduire de lait et parsemer de fromage râpé. Cuire au four préchauffé 10 minutes, jusqu'à ce qu'ils soient dorés, sortir du four et garnir de ciboulette fraîche. Servir immédiatement ou laisser refroidir.

blinis

🕐 cuisson : 20 min

🕐 préparation : 20 min,
repos : 1 heure

pour 8 blinis

Ces petites crêpes russes sont traditionnellement confectionnées avec
de la farine de sarrasin, ce qui leur donne une saveur inhabituelle.

VALEURS NUTRITIONNELLES	
Calories 170	
Protéines . . . . .6 g	
Glucides . . . . .28 g	
Lipides . . . . .6 g	
Acides gras saturés . . . . . . .2 g	

INGRÉDIENTS

115 g de farine de sarrasin

115 g de farine de blé dur

7 g de levure de boulanger déshydratée

1 cuil. à café de sel

375 ml de lait, tiède

1 œuf, entier

1 œuf, blanc et jaune séparés

huile, pour graisser

ACCOMPAGNEMENT

crème aigre

saumon fumé

variante

Si vous ne trouvez pas
de farine de sarrasin,
remplacez-la par
de la farine complète.

1 Dans une terrine tiède, tamiser les farines, incorporer la levure et le sel, et ajouter le lait, l'œuf entier et le jaune en battant jusqu'à obtention d'une consistance homogène. Couvrir et laisser lever 1 heure près d'une source de chaleur.

2 Battre le blanc d'œuf en neige souple et incorporer à la pâte. Huiler une sauteuse à fond épais, chauffer à feu moyen à vif et verser assez de pâte pour obtenir un blini de la taille d'une soucoupe.

3 Chauffer jusqu'à ce que des bulles se forment, retourner le blini à l'aide d'une spatule et faire dorer l'autre côté légèrement. Réserver au chaud dans un torchon, répéter l'opération avec la pâte restante et servir avec de la crème aigre et du saumon.

gâteaux

En toutes circonstances, les gâteaux faits maison font l'unanimité. Mais inutile de faire appel à la magie pour préparer un magnifique gâteau qui émerveillera vos convives ! Les gâteaux proposés ici ne sont pas compliqués à préparer. Il existe quantité d'ouvrages consacrés à l'art de la décoration culinaire. Ici, ils sont garnis de simples glaçages ou de garnitures aux fruits.

Vous trouverez différentes recettes, depuis les favoris de la famille, comme le gâteau aux cerises et aux amandes (page 200) et le gâteau aux carottes (page 212), jusqu'au gâteau délicieusement chocolaté, typique du Mississippi (page 215). Vous trouverez aussi des gâteaux épicés comme le gâteau au gingembre confit (page 198) et le gâteau épicé au miel (page 207), qui emplissent la cuisine de délicieuses senteurs. Qui pourrait résister au gâteau aux myrtilles et son nappage citronné (page 210), au gâteau aux fruits de la passion (page 218) ou au gâteau aux poires et à la cannelle (page 206) ? Les grands classiques britanniques n'ont pas été oubliés, ainsi, vous trouverez un riche gâteau de Noël aux fruits (page 208) et un gâteau Victoria (page 219), faciles à préparer. L'avantage de ces recettes est que vous pouvez les décliner en autant de goûts différents une fois que vous avez maîtrisé les bases.

Certains gâteaux sont meilleurs lorsque vous les dégustez le jour de leur confection, d'autres, comme le gâteau aux cerises et aux amandes, se conservent plusieurs jours. Le gâteau au gingembre confit ne sera que meilleur si vous attendez un ou deux jours, même si cela vous sera difficile !

gâteau au gingembre confit

pour 12 personnes

préparation : 20 min, refroidissement : 10 min

cuisson : 45 à 50 min

Pas de doute, ce gâteau a le goût de gingembre puisqu'il utilise du gingembre en poudre, confit et en sirop !

INGRÉDIENTS

115 g de beurre, un peu plus pour graisser

225 g de farine levante

1 cuil. à soupe de gingembre en poudre

1 cuil. à café de cannelle en poudre

½ cuil. à café de bicarbonate de soude

115 g de sucre roux en poudre

zeste râpé d'un demi-citron

2 œufs

1 cuil. à soupe ½ de sirop de sucre de canne

1 cuil. à soupe ½ de lait

GARNITURE

6 morceaux de gingembre confit, en réservant 4 cuil. à soupe de sirop

115 g de sucre glace

jus de citron

variante

Si vous ne souhaitez pas décorer le gâteau de morceaux de gingembre confit, essayez un glaçage légèrement saupoudré de cannelle.

conseil

Ce gâteau sera encore meilleur si vous le conservez 24 heures dans un récipient hermétique avant consommation, pour laisser le temps au gingembre de développer son arôme.

1 Préchauffer le four à 160 °C (th. 5-6), graisser un moule carré de 18 cm et chemiser de papier sulfurisé. Dans une jatte, tamiser la farine, le gingembre, la cannelle et le bicarbonate de soude, incorporer le beurre avec les doigts et ajouter le sucre et le zeste de citron. Dans une autre jatte, mettre les œufs, le sirop et le lait, mélanger et incorporer à la préparation précédente de façon à obtenir une consistance homogène.

2 Garnir le moule de la préparation obtenue, cuire au four préchauffé 45 à 50 minutes, jusqu'à ce que le gâteau ait levé et soit ferme au toucher, et sortir du four. Laisser tiédir 30 minutes, démouler et transférer sur une grille. Retirer le papier sulfurisé et laisser refroidir complètement.

3 Couper les morceaux de gingembre en quatre et disposer sur le gâteau. Dans une jatte, délayer le sucre glace dans le sirop de gingembre et ajouter du jus de citron de façon à obtenir un glaçage lisse. Transférer dans un sac plastique, percer un trou dans un angle et verser en filet sur le gâteau. Laisser prendre, découper le gâteau en carrés et servir.

gâteau aux cerises et aux amandes

pour 8 personnes

préparation : 15 min,
refroidissement : 30 min

cuisson : 1 h 30 à 1 h 45

La poudre d'amandes enrichit ce gâteau et l'aide à conserver son moelleux. Pas de doute, il deviendra l'un de vos préférés.

INGRÉDIENTS

175 g de beurre, en pommade, un peu plus pour graisser

225 g de cerises confites

175 g de sucre roux en poudre

3 œufs

55 g de poudre d'amandes

225 g de farine

1 cuil. à café ½ de levure chimique

40 g d'amandes effilées

VALEURS NUTRITIONNELLES

Calories 518

Protéines . . . . .8 g

Glucides . . . . .108 g

Lipides . . . . .27 g

Acides gras saturés . . . . . .13 g

variante

Vous pouvez remplacer les cerises confites par des abricots secs prêts à être consommés.

conseil

Lavez et séchez les cerises confites avant de les utiliser pour éviter qu'elles tombent au fond du gâteau avant la cuisson.

1 Préchauffer le four à 160 °C (th. 5-6), graisser un moule carré de 18 cm et chemiser de papier sulfurisé. Couper les cerises en deux, mettre dans une passoire et rincer de façon à enlever le sirop. Sécher avec du papier absorbant et réserver.

2 Dans une jatte, mettre le beurre, le sucre, les œufs et la poudre d'amandes, tamiser la farine et la levure, et incorporer avec les cerises de façon à obtenir une consistance homogène. Garnir le moule de la préparation obtenue et lisser la surface.

3 Parsemer d'amandes, cuire au four préchauffé 1 h 30 à 1 h 45, jusqu'à ce que la pointe d'un couteau piquée au centre ressorte sans trace, et sortir du four. Laisser tiédir 10 minutes, démouler et transférer sur une grille. Retirer le papier et laisser refroidir.

gâteau antillais à la noix de coco

pour 8 personnes

préparation : 20 min, refroidissement : 30 min

cuisson : 25 min

La noix de coco et la crème de coco rendent ce gâteau riche et délicieux, complété à merveille par la confiture d'ananas.

INGRÉDIENTS

280 g de beurre, en pommade,
un peu plus pour graisser
175 g de sucre roux en poudre
3 œufs
175 g de farine levante
1 cuil. à café ½ de levure chimique
½ cuil. à café de noix muscade
fraîchement râpée
55 g de noix de coco déshydratée, râpée
5 cuil. à soupe de crème de coco
280 g de sucre glace
5 cuil. à soupe de confiture d'ananas
noix de coco effilée grillée,
pour décorer

VALEURS NUTRITIONNELLES	
Calories 694	
Protéines . . . . .6 g	
Glucides . . . . .152 g	
Lipides . . . . .40 g	
Acides gras saturés . . . . . .27 g	

1

2

3

conseil

La crème de coco est vendue en petites briques. Vous pouvez utiliser ce qui reste dans des crèmes, des soupes ou des currys, ou napper des fruits frais pour changer de la traditionnelle crème fraîche.

1 Préchauffer le four à 180 °C (th. 6), graisser 2 moules à génoise de 20 cm de diamètre et chemiser de papier sulfurisé. Dans une jatte, mettre le sucre, les œufs et 175 g de beurre, incorporer la farine, la levure et la noix muscade, et mélanger jusqu'à obtention d'une consistance homogène. Ajouter la noix de coco et 2 cuillerées à soupe de crème de coco.

2 Répartir la préparation dans les moules, lisser la surface et cuire au four préchauffé 25 minutes, jusqu'à ce que les gâteaux soient dorés et fermes. Sortir du four, laisser tiédir 5 minutes et démouler. Transférer sur une grille, retirer le papier sulfurisé et laisser refroidir.

3 Dans une jatte, tamiser le sucre glace, ajouter le beurre et la crème de coco restants, et battre jusqu'à obtention d'une consistance homogène. Napper le premier gâteau de confiture d'ananas, garnir du tiers de la crème au beurre et recouvrir avec le second gâteau. Napper la surface de crème au beurre et parsemer de noix de coco grillée.

gâteau de Savoie aux fruits confits

cuisson : 1 h 15 à 1 h 30

**préparation : 25 min,
refroidissement : 30 min**

pour 8 personnes

*L'utilisation de fruits confits crée une garniture étonnante
et colorée, inhabituelle pour ce gâteau de Savoie.*

VALEURS NUTRITIONNELLES

Calories	570
Protéines	. . . . .7 g
Glucides	. . . . .136 g
Lipides	. . . . .27 g
Acides gras saturés	. . . . . .16 g

INGRÉDIENTS

225 g de beurre, en pommade,
un peu plus pour graisser

225 g de sucre roux en poudre

zeste finement râpé d'un citron

4 œufs, battus

280 g de farine levante, tamisée

2 à 3 cuil. à soupe de lait

GARNITURE AUX FRUITS

2 cuil. à soupe ½ de miel liquide

225 g de fruits confits

variante

On peut servir le gâteau
de Savoie simplement garni
d'une tranche d'écorce
confite, déposée sur le
gâteau après avoir cuit
1 heure.

1 Préchauffer le four
à 160 °C (th. 5-6),
graisser un moule de 20 cm de
diamètre et chemiser de papier
sulfurisé. Dans une jatte, battre
le beurre en crème avec le sucre
et le zeste de citron jusqu'à
ce que le mélange blanchisse,
incorporer les œufs et ajouter
la farine, en alternant avec

du lait, de façon à obtenir
une consistance souple qui
nappe la cuillère.

2 Garnir le moule de
la préparation obtenue
et cuire au four préchauffé
1 h 15 à 1 h 30, jusqu'à
ce que le gâteau ait levé
et soit doré, et que la pointe

d'un couteau piquée au centre
ressorte sans trace de pâte.

3 Sortir du four, laisser
tiédir 10 minutes et
démouler. Transférer sur une
grille, retirer le papier sulfurisé
et laisser refroidir complètement.
Enduire de miel et garnir
de fruits confits.

gâteau à la banane et au citron vert

cuisson : 45 min

préparation : 35 min,
refroidissement : 45 min

pour 10 personnes

Ce copieux gâteau est idéal pour accompagner le thé. Les bananes écrasées lui donnent tout son moelleux et le glaçage au citron vert une surprenante saveur acidulée.

INGRÉDIENTS

300 g de farine

1 cuil. à café de sel

1 cuil. à café ½ de levure chimique

175 g de sucre roux en poudre

1 cuil. à café de zeste de citron vert râpé

1 œuf moyen, battu

1 banane moyenne, écrasée et mélangée
à 1 cuil. à soupe de jus de citron vert

150 ml de fromage blanc allégé
ou de yaourt nature

fines rondelles de bananes séchées
et zeste de citron vert râpé,
pour décorer

115 g de raisins de Smyrne

GLAÇAGE

115 g de sucre glace

1 à 2 cuil. à café de jus de citron vert

½ cuil. à café de zeste de citron vert
râpé

variation

Vous pouvez remplacer le zeste et le jus de citron vert par de l'orange, et les raisins secs par des abricots hachés.

conseil

Utilisez une banane bien mûre pour obtenir plus de saveur. Les rondelles de bananes séchées se trouvent au rayon des fruits secs dans la plupart des supermarchés.

1 Préchauffer le four à 180 °C (th. 6), graisser un moule de 18 cm de diamètre et chemiser de papier sulfurisé. Dans une jatte, tamiser la farine, le sel et la levure, ajouter le sucre et le zeste de citron, et mélanger.

2 Ménager un puits au centre, ajouter l'œuf, la banane, le fromage blanc et les raisins secs et mélanger. Garnir le moule de la préparation et lisser la surface.

3 Cuire au four préchauffé 40 à 45 minutes, jusqu'à ce que la pointe d'un couteau piquée au centre ressorte sans trace de pâte. Sortir du four, laisser refroidir 10 minutes et démouler.

4 Dans une jatte, délayer le sucre glace dans le jus de citron vert de façon à obtenir un glaçage épais, incorporer le zeste de citron vert et napper le gâteau. Décorer de fines rondelles de bananes séchée et de zeste de citron vert, laisser prendre 15 minutes et servir.

gâteau aux poires et à la cannelle

pour 8 personnes

préparation : 20 min, ↻
refroidissement : 30 min

cuisson : 55 à 60 min ♨

Ce gâteau répand un parfum absolument délicieux pendant la cuisson, et conclut à merveille un repas d'exception.

INGRÉDIENTS

3 ou 4 poires fermes, selon leur taille

1 gousse de vanille

200 g de beurre, fondu et refroidi, un peu plus pour graisser

275 g de sucre roux en poudre

2 gros œufs

250 g de farine

1 cuil. à soupe de cannelle en poudre

½ cuil. à café de bicarbonate de soude

4 cuil. à soupe de sucre glace roux

VALEURS NUTRITIONNELLES

Calories 508

Protéines . . . . .5 g

Glucides . . . . .138 g

Lipides . . . . .23 g

Acides gras saturés . . . . . .14 g

variante

Vous pouvez remplacer les poires fraîches par des poires en boîte. Le résultat sera quasiment identique.

1 Peler les poires, couper en quatre et evider. Couper en dès, mettre dans une casserole et couvrir d'eau. Fendre la gousse de vanille, retirer les graines et ajouter aux poires. Porter à ébullition, réduire le feu et laisser mijoter jusqu'à ce que les poires soient tendres. Retirer du feu et laisser refroidir. Préchauffer le four à 180 °C

(th. 6), graisser un moule à fond amovible de 20 cm de diamètre et chemiser de papier sulfurisé. Égoutter les poires en réservant le jus de cuisson et sécher avec du papier absorbant.

2 Dans une jatte, mettre le sucre, les œufs et le beurre, et mélanger. Dans une autre jatte, tamiser la farine,

la cannelle et le bicarbonate de soude, incorporer à la préparation précédente en trois fois et ajouter les poires.

3 Garnir le moule de la préparation obtenue et cuire au four préchauffé, 50 à 55 minutes, jusqu'à ce que la pointe d'un couteau piquée au centre ressorte sans trace de pâte. Sortir du four,

laisser tiédir 20 minutes et démouler. Transférer sur une grille, retirer le papier sulfurisé et laisser refroidir.

4 Dans une jatte, délayer le sucre glace dans du jus de cuisson réservé de façon à obtenir un glaçage, napper le gâteau et laisser prendre.

gâteau épicé au miel

cuisson : 45 à 55 min

préparation : 15 min, refroidissement : 30 min

pour 8 personnes

Ce gâteau sera meilleur s'il est préparé à l'avance car les arômes auront le temps nécessaire pour s'exhaler.

VALEURS NUTRITIONNELLES

Calories	534
Protéines	. . . . .4 g
Glucides	. . . . .175 g
Lipides	. . . . .17 g
Acides gras saturés	. . . . . .11 g

INGRÉDIENTS

150 g de beurre, un peu plus
pour graisser

115 g de sucre roux en poudre

175 g de miel liquide

1 cuil. à soupe d'eau

200 g de farine levante

½ cuil. à café de gingembre en poudre

½ cuil. à café de cannelle en poudre

½ cuil. à café de graines de carvi

graines de 8 gousses de cardamome,
moulues

2 œufs, battus

350 g de sucre glace

conseil

Choisissez de préférence
un miel très parfumé pour
que son goût ne soit pas
masqué par les arômes
des autres épices.

1 Préchauffer le four à 180 °C (th. 6) et graisser un moule à tarte cannelé d'une contenance de 850 g. Dans une casserole à fond épais, mettre le beurre, le sucre, le miel et l'eau, et chauffer à feu doux sans cesser de remuer jusqu'à ce que le beurre ait fondu et que le sucre soit dissous.

Retirer du feu et laisser tiédir 10 minutes.

2 Dans une jatte, tamiser la farine, incorporer le gingembre, les graines de carvi et de cardamome et la cannelle, et ménager un puits. Incorporer la préparation précédente avec les œufs de façon à obtenir une

consistance homogène, garnir le moule et cuire au four préchauffé 40 à 50 minutes, jusqu'à ce que le gâteau ait levé et que la pointe d'un couteau piquée au centre ressorte sans trace de pâte. Sortir du four, laisser tiédir 5 minutes et démouler. Transférer sur une grille et laisser refroidir.

3 Dans une jatte, délayer le sucre glace dans de l'eau de façon à obtenir un glaçage lisse et fluide, napper le gâteau et laisser prendre.

gâteau de Noël aux fruits

pour 24 personnes

préparation : 15 min,
refroidissement : 20 min

cuisson : 3 h 10 à 3 h 40

*Voici un gâteau de Noël anglais extrêmement simple à préparer.
Le fait de commencer par faire bouillir la préparation aux fruits
procure au gâteau un moelleux et un parfum inoubliables.*

INGRÉDIENTS

250 g de beurre, coupé en dés,
un peu plus pour graisser

300 g de sucre roux en poudre

2 cuil. à soupe de mélasse

1,5 kg de fruits secs

zeste finement râpé et jus
d'une grosse orange

90 ml de cognac

5 œufs, battus

175 g de mélange de fruits à écales,
grossièrement hachés

55 g de poudre d'amandes

325 g de farine

½ cuil. à café de levure chimique

1 cuil. à soupe de mélange d'épices

VALEURS NUTRITIONNELLES

Calories 330

Protéines . . . . .5 g

Glucides . . . . .96 g

Lipides . . . . .12 g

Acides gras saturés . . . . . . .5 g

---

variante

Pour donner un goût légèrement
différent à ce gâteau aux fruits,
remplacez le cognac par du rhum.

conseil

Vous pouvez également couvrir
le gâteau de pâte d'amande
et de glaçage, ou le garnir avec
des noix et des fruits séchés
joliment disposés.

1 Dans un fait-tout, mettre
le beurre, le sucre, la
mélasse, les fruits secs, le zeste
et le jus d'orange et le cognac,
porter doucement à ébullition
et réduire le feu. Laisser mijoter
10 minutes en remuant de
temps en temps, retirer du feu
et laisser refroidir.

2 Préchauffer le four
à 150 °C (th. 5).
Graisser et chemiser un moule
de 20 cm de diamètre et
envelopper l'extérieur d'une
double épaisseur de papier.
Incorporer les œufs, les fruits
à écale et la poudre d'amandes
dans le fait-tout, mélanger

et tamiser la farine, la levure
et les épices. Remuer
délicatement de façon
à obtenir une consistance
homogène, garnir le moule
et lisser la surface.

3 Cuire au four préchauffé
1 heure, réduire la

température du four à 140 °C
(th. 4-5) et cuire encore
2 heures à 2 h 30, jusqu'à ce
que la pointe d'un couteau
piquée au centre ressorte sans
trace de pâte. Laisser refroidir,
démouler et conserver dans
du papier sulfurisé et du papier
d'aluminium.

gâteau aux myrtilles et son nappage citronné

pour 12 personnes

préparation : 20 min, ⏲
refroidissement : 30 min

cuisson : 1 heure ⏲

*Le sirop de citron qui nappe le gâteau apporte une saveur acidulée
et fraîche, qui se marie délicieusement aux myrtilles.*

INGRÉDIENTS

**225 g de beurre, en pommade,
un peu plus pour graisser
225 g de sucre roux en poudre
4 œufs, battus
250 g de farine levante, tamisée
zeste finement râpé et jus d'un citron
25 g de poudre d'amandes
200 g de myrtilles fraîches**

GARNITURE

**jus de 2 citrons
115 g de sucre roux en poudre**

VALEURS NUTRITIONNELLES

Calories	.364
Protéines	.5 g
Glucides	.78 g
Lipides	.19 g
Acides gras saturés	.11 g

conseil

Vous pouvez réchauffer
quelques secondes le citron
au four à micro-ondes à pleine
puissance. Il rendra ainsi plus
de jus par la suite.

1 Préchauffer le four
à 180 °C (th. 6), graisser
un moule carré de 20 cm et
chemiser de papier sulfurisé.
Dans une jatte, battre le beurre
en crème avec le sucre jusqu'à
ce que le mélange blanchisse,
et incorporer progressivement
les œufs en ajoutant un peu
de farine de façon à éviter que
la préparation prenne un aspect
caillé. Incorporer le zeste

de citron, la farine restante et
la poudre d'amandes, et ajouter
du jus de citron de façon à
obtenir une consistance fluide.

2 Réserver le quart des
myrtilles, disposer les
myrtilles restantes dans le moule
et garnir de la préparation
précédente. Lisser la surface,
parsemer de myrtilles et cuire
au four préchauffé 1 heure,

jusqu'à ce que le gâteau soit
ferme au toucher et que la pointe
d'un couteau piquée au centre
ressorte sans trace de pâte.

3 Délayer le sucre glace
dans le jus de citron
de façon à obtenir un glaçage,
piquer le gâteau et napper
de glaçage. Sortir du four,
laisser refroidir et découper
en 12 carrés. Servir.

gâteau aux dattes

cuisson : 1 h 10 à 1 h 25   **préparation : 20 min, refroidissement : 30 min**   **pour 8 personnes**

Le nappage au caramel de ce gâteau aux dattes ravira les gourmands.
Selon sa présentation, c'est un dessert simple ou plus sophistiqué.

VALEURS NUTRITIONNELLES	
Calories 534	
Protéines . . . . .6 g	
Glucides . . . . .129 g	
Lipides . . . . .25 g	
Acides gras saturés . . . . . .16 g	

INGRÉDIENTS

225 g de dattes dénoyautées, hachées

300 ml d'eau, bouillante

115 g de beurre, en pommade,
un peu plus pour graisser

175 g de sucre roux en poudre

3 œufs, battus

225 g de farine levante, tamisée

½ cuil. à café de cannelle en poudre

1 cuil. à café de bicarbonate de soude

GARNITURE

85 g de sucre roux en poudre

55 g de beurre

3 cuil. à soupe de crème fraîche épaisse

1

2

2

conseil

Tremper les dattes quelques minutes dans de l'eau bouillante leur donne du moelleux et une consistance de caramel, idéale pour les cakes et les desserts.

1 Mettre les dattes dans l'eau et laisser tremper. Préchauffer le four à 180 °C (th. 6) et graisser un moule à fond amovible de 23 cm de diamètre. Dans une jatte, battre le beurre en crème avec le sucre jusqu'à ce que le mélange blanchisse et incorporer progressivement les œufs, la farine et la cannelle.

2 Ajouter le bicarbonate de soude aux dattes et à l'eau, incorporer le mélange à la préparation précédente et mélanger. Garnir le moule de la préparation obtenue et cuire au four préchauffé 1 heure à 1 h 15, jusqu'à ce que le gâteau ait levé et soit ferme au toucher.

3 Dans une casserole, mettre le sucre, le beurre et la crème, chauffer à feu doux sans cesser de remuer, jusqu'à ce que le sucre soit dissous, et porter à ébullition. Cuire 3 minutes, napper le gâteau et passer au gril jusqu'à ce que la garniture fasse des bulles. Laisser prendre et servir.

gâteau aux carottes

pour 8 personnes

préparation : 15 min, repos et refroidissement : 20 min

cuisson : 1 h 05

Les carottes confèrent à ce gâteau une saveur étonnamment sucrée ainsi qu'une appétissante couleur dorée.

INGRÉDIENTS

beurre, pour graisser

175 g de sucre roux en poudre

3 œufs

175 ml d'huile de tournesol

175 g de carottes, grossièrement râpées

2 bananes mûres, écrasées

55 g de noix, hachées

280 g de farine

½ cuil. à café de sel

1 cuil. à café de bicarbonate de soude

2 cuil. à café de levure chimique

GLAÇAGE

200 g de fromage blanc

½ cuil. à café d'extrait de vanille

115 g de sucre glace

25 g de noix, hachées

VALEURS NUTRITIONNELLES

Calories 650

Protéines . . . . .9 g

Glucides . . . . .119 g

Lipides . . . . .38 g

Acides gras saturés . . . . . .11 g

variante

Si vous préférez, vous pouvez cuire le gâteau dans un moule rectangulaire et le découper en carrés une fois cuit.

conseil

Plus vous râpez les carottes grossièrement, plus le gâteau aura une texture épaisse. Si vous préférez une texture plus lisse, râpez-les plus finement.

1 Préchauffer le four à 180 °C (th. 6), graisser un moule à fond amovible de 23 cm de diamètre et chemiser de papier sulfurisé. Dans une jatte, mettre le sucre, les œufs, l'huile, les carottes, les bananes et les noix, tamiser la farine, le sel, le bicarbonate de soude et la levure, et battre jusqu'à obtention d'une consistance homogène.

2 Garnir le moule de la préparation obtenue et cuire au four préchauffé 1 h 05, jusqu'à ce que le gâteau soit doré et que la pointe d'un couteau piquée au centre ressorte sans trace de pâte. Sortir du four, laisser tiédir 10 minutes et démouler. Transférer sur une grille, retirer le papier sulfurisé et laisser refroidir complètement.

3 Dans une jatte, mettre l'extrait de vanille et le fromage blanc, battre et incorporer le sucre glace progressivement, jusqu'à obtention d'une consistance homogène. Napper le gâteau, parsemer de noix hachées et laisser prendre dans un endroit frais.

gâteau au café et au caramel

pour 8 personnes

préparation : 20 min,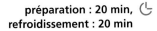
refroidissement : 20 min

cuisson : 35 min

Ce gâteau à la puissante saveur de café est parfaitement complété par un tendre et succulent glaçage au caramel.

INGRÉDIENTS

175 g de beurre, en pommade,
un peu plus pour graisser
175 g de sucre roux en poudre
3 œufs, battus
225 g de farine levante, tamisée
100 ml de café noir fort
graines de café enrobées de chocolat,
pour décorer

GLAÇAGE
125 ml de lait
125 g de beurre
3 cuil. à soupe de sucre roux en poudre
575 g de sucre glace

VALEURS NUTRITIONNELLES	
Calories 518	
Protéines . . . . .6 g	
Glucides . . . . .81 g	
Lipides . . . . .34 g	
Acides gras saturés . . . . . .21 g	

conseil

Faites très attention quand vous ajoutez la préparation à base de lait au caramel à l'étape 2, parce qu'il peut y avoir des projections et vous pourriez vous brûler.

1 Préchauffer le four à 180 °C (th. 6), graisser 2 moules à génoise de 20 cm de diamètre et chemiser de papier sulfurisé. Dans une jatte, battre le beurre en crème avec le sucre jusqu'à ce que le mélange blanchisse, incorporer les œufs, la farine et le café, et répartir la préparation dans les moules. Cuire au four préchauffé 30 minutes, jusqu'à ce que

la pâte lève et soit élastique au toucher. Sortir du four, laisser tiédir 5 minutes et démouler. Retirer le papier sulfurisé, transférer sur une grille et laisser refroidir.

2 Pour le glaçage, mettre le lait et le beurre dans une casserole, chauffer à feu doux sans cesser de remuer jusqu'à ce que

le beurre ait fondu, et retirer la casserole du feu. Dans une autre casserole à fond épais, mettre le sucre, chauffer à feu doux sans cesser de remuer jusqu'à ce qu'il soit dissous et qu'il ait caramélisé, et retirer la casserole du feu. Ajouter le mélange à base de lait au caramel et remettre sur le feu jusqu'à dissolution complète du caramel.

3 Retirer du feu, incorporer progressivement le sucre glace sans cesser de remuer jusqu'à ce que le glaçage ait une consistance lisse qui nappe la cuillère, et étaler une partie du glaçage sur un gâteau. Disposer l'autre gâteau dessus, étaler le glaçage restant sur la surface du gâteau et décorer de graines de café enrobées de chocolat.

gâteau au chocolat du Mississippi

⏲ **cuisson : 1 h 30 min**

🕐 **préparation : 25 min,
refroidissement : 30 min**

pour 16 personnes

*Ce gâteau est riche et dense. Vous pouvez le servir accompagné
de crème fraîche ou de fruits rouges, ou tel quel au café.*

VALEURS NUTRITIONNELLES

Calories 344

Protéines . . . . .3 g

Glucides . . . . .80 g

Lipides . . . . .17 g

Acides gras saturés . . . . . .11 g

INGRÉDIENTS

250 g de beurre, coupé en dés,

un peu plus pour graisser

150 g de chocolat noir, cassé en morceaux

425 g de sucre roux en poudre

250 ml d'eau, très chaude

3 cuil. à soupe de Tia Maria ou de cognac

250 g de farine

1 cuil. à café de levure chimique

25 g de cacao en poudre

2 œufs, battus

DÉCORATION

framboises fraîches

copeaux de chocolat

conseil

Si le gâteau se met à brunir
trop vite pendant la cuisson,
couvrez-le d'une feuille
de papier d'aluminium
jusqu'à la fin de la cuisson.

1 Préchauffer le four
à 160 °C (th. 5-6),
graisser un moule de 20 cm de
diamètre et chemiser de papier
sulfurisé. Dans une casserole à
fond épais, mettre le chocolat,
le beurre, le sucre, l'eau
et l'alcool, et chauffer à feu
doux sans cesser de remuer,
jusqu'à ce que le chocolat
ait fondu.

2 Remuer la préparation
jusqu'à obtention
d'une consistance homogène,
transférer dans une jatte
et laisser refroidir 15 minutes.
Tamiser la farine, la levure
et le cacao, incorporer
à la préparation en battant
et ajouter les œufs sans cesser
de battre. Garnir le moule
de la préparation obtenue.

3 Cuire au four
préchauffé 1 h 30,
jusqu'à ce qu'il ait levé et soit
ferme au toucher, sortir du four
et laisser tiédir 30 minutes.
Démouler, retirer le papier
sulfurisé et transférer sur une
grille. Laisser refroidir, décorer
de framboises fraîches et de
copeaux de chocolat, et servir
immédiatement.

gâteau aux fruits secs

cuisson : 1 h 45

préparation : 35 min, refroidissement : 1 heure

pour 12 personnes

VALEURS NUTRITIONNELLES

Calories 772

Protéines . . . . .14 g

Glucides . . . . .316 g

Lipides . . . . .5 g

Acides gras saturés . . . . . . .1 g

variation

Remplacez le zeste de citron par du zeste de citron vert, et utilisez des myrtilles pour remplacer les airelles.

Servez cet excellent gâteau fruité pour les grandes occasions, lors d'un repas de Noël ou pour un anniversaire.

INGRÉDIENTS

1 cuil. à soupe de beurre, pour graisser

175 g de dattes, hachées

125 g de pruneaux moelleux, hachés

200 ml de jus d'orange sans sucre ajouté

1 cuil. à café de zeste de citron râpé

1 cuil. à café de zeste d'orange râpé

2 cuil. à soupe de sirop de sucre de canne

225 g de farine levante complète

1 cuil. à café de mélange d'épices

125 g de raisins secs sans pépins

125 g de raisins de Smyrne

125 g de raisins de Corinthe

125 g d'airelles séchées

3 gros œufs, blancs et jaunes séparés

DÉCORATION

1 cuil. à soupe de confiture d'abricots, tiédie

175 g de pâte de sucre

sucre glace, pour saupoudrer

zestes d'orange et de citron

conseil

Pour un meilleur résultat, utilisez des œufs qui sont à température ambiante. La différence de température donnerait un aspect caillé à la préparation.

1 Beurrer un moule de 20 cm de diamètre et chemiser de papier sulfurisé. Dans une casserole, mettre les dattes, les pruneaux et le jus d'orange, porter à ébullition 10 minutes et retirer du feu. Réduire la préparation en purée en battant bien, incorporer le sirop de sucre de canne et les zestes, et laisser refroidir.

2 Dans une jatte, tamiser le mélange d'épices et la farine en ajoutant le son resté dans le tamis et incorporer les fruits secs. Ajouter les jaunes d'œufs à la purée de fruits, battre et incorporer le mélange obtenu à la préparation à base de farine.

3 Battre les blancs en neige, incorporer au mélange à l'aide d'une cuillère en métal et garnir le moule de la préparation obtenue. Cuire au four préchauffé, à 170 °C (th. 5-6), 1 h 30, sortir du four et laisser refroidir.

4 Démouler le gâteau et napper de confiture. Saupoudrer le plan de travail de sucre glace, abaisser finement la pâte de sucre et recouvrir le gâteau en découpant les bords. Décorer de zestes d'orange et de citron et servir.

gâteau aux fruits de la passion

pour 8 personnes   **préparation : 20 min,**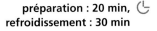
refroidissement : 30 min   **cuisson : 50 à 55 min**

*Ce gâteau américain est délicieusement moelleux et léger,
et son original glaçage aux fruits de la passion devrait
ravir vos convives.*

INGRÉDIENTS

85 g de farine

280 g de sucre en poudre

8 gros blancs d'œufs

1 cuil. à café de crème de tartre

1 pincée de sel

1 cuil. à café d'extrait de vanille

2 cuil. à soupe d'eau, chaude

GLAÇAGE

4 fruits de la passion

200 g de sucre glace

VALEURS NUTRITIONNELLES

Calories 288

Protéines . . . . .4 g

Glucides . . . . .136 g

Lipides . . . . .0 g

Acides gras saturés . . . . . . .0 g

conseil

Si vous n'avez pas
de moule à savarin,
utilisez un moule
à manqué antiadhésif.

1 Préchauffer le four à 180 °C (th. 6) et tamiser la farine et 2 cuillerées à soupe de sucre dans une jatte. Dans une autre jatte, battre les blancs d'œufs en neige, incorporer la crème de tartre et le sel, et verser l'extrait de vanille et l'eau en filet sans cesser de battre.

Incorporer progressivement le sucre restant en battant entre chaque ajout jusqu'à ce que les blancs soient fermes.

2 Incorporer délicatement la farine et le sucre tamisés, et garnir un moule à savarin antiadhésif de la préparation obtenue de sorte qu'il soit garni aux deux tiers. Cuire au four préchauffé 50 à 55 minutes, jusqu'à ce que le gâteau ait levé et qu'il soit sec, sortir du four et renverser le moule. Laisser refroidir, passer une spatule le long des parois de façon à détacher le gâteau et transférer sur un plat de service.

3 Couper les fruits de la passion en deux, mettre la pulpe dans une passoire et presser à l'aide d'une cuillère en bois de façon à recueillir le jus. Délayer le sucre glace dans le jus de façon à obtenir un glaçage épais, napper le gâteau et laisser prendre.

gâteau Victoria

cuisson : 25 à 30 min

préparation : 10 min, refroidissement : 20 min

pour 8 personnes

Le gâteau Victoria est probablement l'un des premiers gâteaux que les Britanniques apprennent à faire. C'est la méthode la plus rapide et la plus simple qui est ici expliquée.

VALEURS NUTRITIONNELLES	
Calories 720	
Protéines . . . . .6 g	
Glucides . . . . .86 g	
Lipides . . . . .56 g	
Acides gras saturés . . . . . .35 g	

INGRÉDIENTS

175 g de beurre, en pommade, un peu plus pour graisser

175 g de farine levante

1 cuil. à café de levure chimique

175 g de sucre roux en poudre

3 œufs

GARNITURE

3 cuil. à soupe de confiture de framboises

600 ml de crème fraîche, fouettée

16 fraises fraîches, coupées en deux

sucre en poudre, pour décorer

variante

Vous pouvez remplacer la garniture proposée ici par toute autre crème ou confiture de fruits frais, selon votre goût.

1 Préchauffer le four à 180 °C (th. 6), graisser 2 moules à génoise de 20 cm de diamètre et chemiser de papier sulfurisé. Dans une jatte, tamiser la farine et la levure, ajouter le beurre, le sucre et les œufs, et mélanger jusqu'à obtention d'une consistance homogène.

2 Garnir les moules de la préparation obtenue, lisser la surface et cuire au four préchauffé 25 à 30 minutes, jusqu'à ce que les gâteaux aient levé et soient dorés et élastiques au toucher.

3 Sortir du four, laisser tiédir 5 minutes et démouler. Retirer le papier sulfurisé, transférer sur une grille et laisser refroidir complètement. Napper un gâteau de confiture de framboises et de crème fouettée, parsemer de moitiés de fraises et recouvrir avec le second gâteau. Saupoudrer de sucre et servir.

gâteau des tropiques

pour 16 personnes **préparation : 25 min, trempage** (L
et refroidissement : 9 heures

cuisson : 2 h 30

*Voici un délicieux gâteau aux fruits exotiques
qui conviendra en toutes circonstances.*

INGRÉDIENTS

650 g de mélange de fruits
exotiques séchés

115 g d'abricots secs

115 g de raisins de Smyrne

90 ml de rhum

200 g de beurre, en pommade,
un peu plus pour graisser

200 g de sucre roux en poudre

3 œufs, battus

200 g de farine

1 cuil. à café de levure chimique

1 cuil. à café de gingembre en poudre

40 g de noix de coco déshydratée, râpée

85 g de noix du Brésil, grossièrement
hachées

85 g de noix de cajou, grossièrement
hachées

25 g de gingembre confit, finement
haché

VALEURS NUTRITIONNELLES

Calories 413

Protéines . . . . .6 g

Glucides . . . . .98 g

Lipides . . . . .19 g

Acides gras saturés . . . . . . .9 g

variante

Vous pouvez remplacer les noix
du Brésil et les noix de cajou
par d'autres fruits à écales
(noix de pécan ou noix, par exemple).

conseil

Vous trouverez certainement
des paquets de fruits exotiques
séchés mélangés. Dans
le cas contraire, choisissez
de la mangue, de l'ananas
et de la papaye confits.

1 Dans un robot de cuisine,
réduire en purée 400 g
de mélange de fruits exotiques
et les abricots secs, transférer
dans une jatte et ajouter les
raisins de Smyrne et le rhum.
Couvrir et laisser macérer
8 heures, une nuit si possible.

2 Préchauffer le four
à 150 °C (th. 5), graisser
un moule de 20 cm de diamètre
et chemiser de papier sulfurisé.
Dans une jatte, battre le beurre
en crème avec le sucre jusqu'à
ce que le mélange blanchisse
et incorporer progressivement
les œufs en ajoutant un peu
de farine de façon à éviter que
la préparation prenne un aspect
caillé. Tamiser le gingembre,
la levure et la farine restante,

et incorporer à la préparation
avec la noix de coco, les deux
tiers des noix, le gingembre
confit et les fruits macérés. Garnir
le moule de la préparation
obtenue et lisser la surface.

3 Dans un robot de cuisine,
réduire les fruits
exotiques restants en purée
épaisse, répartir sur le gâteau

et parsemer de noix. Réduire
la température du four à 140 °C
(th. 4-5) et cuire 2 h 30, jusqu'à
ce que le gâteau soit ferme
au toucher et que la pointe
d'un couteau piquée au centre
ressorte sans trace de pâte.
Sortir du four, laisser tiédir
30 minutes et démouler. Retirer
le papier sulfurisé, transférer sur
une grille et laisser refroidir.

gâteau à la carotte et au gingembre

🕐 cuisson : 1 h 15

🕐 préparation : 15 min,
refroidissement : 1 heure

pour 10 personnes

VALEURS NUTRITIONNELLES

Calories 249	
Protéines . . . . .7 g	
Glucides . . . . .74 g	
Lipides . . . . .6 g	
Acides gras saturés . . . . . . .1 g	

variante

Vous pouvez remplacer
la moitié des raisins secs
par des noix hachées.

*Cette variante du gâteau à la carotte fond littéralement dans
la bouche. La consistance des carottes râpées est rehaussée par
l'extrait de vanille et le fromage blanc.*

INGRÉDIENTS

beurre, pour graisser

225 g de farine

1 cuil. à café de levure chimique

1 cuil. à café de bicarbonate de soude

2 cuil. à café de gingembre en poudre

½ cuil. à café de sel

175 g de sucre roux en poudre

225 g de carottes, râpées

60 g de raisins secs sans pépins

2 morceaux de gingembre confit,
hachés

25 g de gingembre frais, râpé

2 œufs, battus

3 cuil. à soupe d'huile de maïs

jus d'une orange

GLAÇAGE

225 g de fromage blanc allégé

4 cuil. à soupe de sucre glace

1 cuil. à café d'extrait de vanille

DÉCORATION

carotte, râpée

gingembre confit, émincé

gingembre en poudre

conseil

Il est très important de
préchauffer le four au moins
10 minutes avant la cuisson
de façon à ce que le four
atteigne la température
souhaitée au moment
où vous enfournez le gâteau.

1 Préchauffer le four
à 180 °C (th. 6), beurrer
un moule de 20 cm de diamètre
et chemiser de papier sulfurisé.

2 Dans une jatte, tamiser
la farine, le gingembre
en poudre, le sel, le bicarbonate
de soude et la levure, et ajouter
le sucre, les carottes, les raisins,
et le gingembre confit et râpé.
Battre les œufs, le jus d'orange

et l'huile, et incorporer
à la préparation précédente.
Garnir le moule de la préparation
obtenue, lisser la surface
et cuire au four préchauffé
1 heure à 1 h 30, jusqu'à
ce que le gâteau soit ferme
et que la pointe d'un couteau
piquée au centre ressorte sans
trace de pâte. Sortir du four
et laisser refroidir dans le
moule.

3 Pour le glaçage,
battre le fromage blanc
dans une jatte et incorporer
le sucre glace et l'extrait
de vanille. Démouler, napper
de glaçage et décorer
de gingembre confit,
de gingembre en poudre
et de carotte râpée. Servir.

pâtisseries et puddings

Désormais réservés aux grandes occasions, les desserts sont devenus de véritables gourmandises. Préparez-en un pour vos invités et vous recevrez les plus grandes félicitations : votre famille ou vos amis apprécieront l'effort réalisé.

À chaque occasion son dessert, qu'il s'agisse d'un repas de famille ou d'un repas plus sophistiqué. Dans ce chapitre, vous trouverez des recettes allant d'un étonnant pavlova aux fruits exotiques (page 236) et d'un cheesecake de Manhattan (page 234) à des desserts plus simples, tels que le crumble aux pommes et aux mûres (page 250) ou un pudding au citron (page 247) qui produit sa propre sauce en cuisant.

Vous trouverez des recettes de puddings cuits à la vapeur, aussi faciles à préparer que délicats de goût. Les puddings au gingembre et au citron (page 248) et les puddings au café et aux noix (page 242) sont légers et moelleux. Certaines anciennes recettes ont été remises au goût du jour, comme le pudding façon tatin aux fruits exotiques (page 243) et le pudding à base de panettone italien, qui entre dans la cour des grands (page 246). Vous pouvez servir le gâteau marocain aux oranges et aux amandes (page 226) ou le streusel aux pommes (page 230) pour le goûter ou en dessert.

Une chose est sûre, lorsque vous poserez l'un de ces gâteaux sur la table, tous les régimes seront oubliés !

gâteau marocain aux oranges et aux amandes

pour 8 personnes

préparation : 20 min, repos et refroidissement : 40 min

cuisson : 45 à 50 min

Ce gâteau aux amandes, moelleux et surprenant, est parfumé d'un sirop à l'orange et à la cardamome.

INGRÉDIENTS

115 g de beurre, en pommade, un peu plus pour graisser

1 orange

115 g de sucre roux en poudre

2 œufs, battus

175 g de semoule

100 g de poudre d'amandes

1 cuil. à café ½ de levure chimique

sucre glace, pour saupoudrer

yaourt à la grecque, en accompagnement

SIROP

300 ml de jus d'orange

130 g de sucre en poudre

8 gousses de cardamome, écrasées

VALEURS NUTRITIONNELLES

Calories	420
Protéines	. . . . .7 g
Glucides	. . . . .92 g
Lipides	. . . . .21 g
Acides gras saturés	. . . . . . .9 g

variante

Si vous le souhaitez, vous pouvez répartir des amandes effilées sur le gâteau avant de le saupoudrer de sucre glace.

conseil

Ne cherchez pas à brûler les étapes : laissez le sirop imprégner le gâteau assez longtemps.

1 Préchauffer le four à 180 °C (th. 6), graisser un moule de 20 cm de diamètre et chemiser de papier sulfurisé. Zester l'orange, réserver du zeste pour la décoration et presser la moitié de l'orange. Dans une jatte, battre le beurre en crème avec le zeste et le sucre jusqu'à ce que le mélange blanchisse et incorporer progressivement les œufs. Dans une autre jatte, mettre la semoule, la poudre d'amandes et la levure, mélanger et incorporer à la préparation précédente avec le jus d'orange. Garnir le moule et cuire au four préchauffé 30 à 40 minutes, jusqu'à ce que le gâteau ait levé et que la pointe d'un couteau piquée au centre ressorte sans trace de pâte. Sortir du four et laisser tiédir dans le moule 10 minutes.

2 Pour le sirop, mettre le jus d'orange, le sucre et la cardamome dans une casserole, chauffer à feu doux sans cesser de remuer jusqu'à ce que le sucre soit dissous et porter à ébullition. Laisser mijoter 4 minutes, jusqu'à obtention d'un sirop.

3 Démouler le gâteau et piquer immédiatement à l'aide d'une brochette. Filtrer le sirop au-dessus d'une jatte, répartir les trois quarts sur le gâteau et réserver 30 minutes. Saupoudrer de sucre glace, découper en morceaux et verser le sirop restant autour. Servir avec du yaourt à la grecque et décoré du zeste d'orange réservé.

pudding de pain à l'italienne

pour 4 personnes

préparation : 15 min,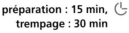
trempage : 30 min

cuisson : 25 min

*Ce délicieux pudding crémeux à la pomme exhale
un appétissant parfum d'orange.*

INGRÉDIENTS

1 cuil. à soupe de beurre, pour graisser

2 petites pommes, pelées, évidées
et coupées en rondelles

75 g de sucre cristallisé

2 cuil. à soupe de vin blanc

100 g de pain, coupé en tranches
et sans la croûte (une baguette
un peu rassise est idéale)

2 œufs, battus

300 ml de crème fraîche liquide

1 orange, zestée en lanières

VALEURS NUTRITIONNELLES

Calories 387

Protéines . . . . .8 g

Glucides . . . . .86 g

Lipides . . . . .20 g

Acides gras saturés . . . . . .12 g

variante

Pour varier, ajoutez au
pudding des fruits secs,
comme des abricots, des
cerises ou des dattes.

1 Beurrer un plat allant au
four d'une contenance
de 1,2 l.

2 Répartir les rondelles
de pommes au fond
du plat, saupoudrer de la moitié
du sucre et verser le vin.
Ajouter les tranches de pain
en les aplatissant légèrement
avec la paume de la main.

3 Mélanger la crème
fraîche, les œufs,
le sucre restant et le zeste
d'orange, verser sur le pain
et laisser macérer 30 minutes.

4 Cuire au four préchauffé,
à 180 °C (th. 6),
25 minutes, jusqu'à ce que le
pain soit doré et que la crème
soit prise.

5 Sortir du four,
laisser tiédir et servir
immédiatement.

délice toscan

cuisson : 15 min   **préparation : 20 min**   **pour 4 personnes**

Ces petites gourmandises individuelles peuvent être servies chaudes ou froides, et se gardent au réfrigérateur 3 à 4 jours.

VALEURS NUTRITIONNELLES

Calories 293

Protéines . . . . .9 g

Glucides . . . . .56 g

Lipides . . . . .17 g

Acides gras saturés . . . . . . .9 g

INGRÉDIENTS

1 cuil. à soupe de beurre, pour graisser

75 g de mélange de fruits secs

250 g de ricotta

3 jaunes d'œufs

50 g de sucre en poudre

zeste finement râpé d'une orange, plus quelques lanières pour décorer

1 cuil. à café de cannelle en poudre

crème aigre, en accompagnement (facultatif)

conseil

La crème aigre, légèrement acide, a un goût de noix et convient pour la cuisson. Elle s'obtient en mélangeant du babeurre et de la crème fraîche épaisse. Réfrigérez-la une nuit.

1 Préchauffer le four à 180 °C (th. 6) et beurrer 4 ramequins ou petits moules. Mettre les fruits secs dans une jatte, couvrir d'eau chaude et laisser tremper 10 minutes.

2 Dans une jatte, battre la ricotta et les jaunes d'œufs, incorporer le sucre, la cannelle et le zeste d'orange, et mélanger. Égoutter les fruits secs dans une passoire, incorporer au mélange précédent et garnir les ramequins de la préparation obtenue.

3 Cuire au four préchauffé 15 minutes, jusqu'à ce que les puddings soient fermes au toucher, sans laisser brunir. Sortir du four, démouler sur des assiettes et décorer de lanières de zeste d'orange. Servir immédiatement ou mettre au congélateur et servir glacé, éventuellement accompagné d'une cuillerée de crème aigre.

streusel aux pommes

pour 8 personnes

préparation : 20 min,
refroidissement : 40 min

cuisson : 1 heure

Ce gâteau aux pommes d'origine allemande est succulent.
Servez-le au goûter.

INGRÉDIENTS

115 g de beurre, un peu plus
pour graisser

450 g de pommes à cuire

175 g de farine levante

1 cuil. à café de cannelle en poudre

1 pincée de sel

115 g de sucre roux en poudre

2 œufs

1 à 2 cuil. à soupe de lait

sucre glace, pour saupoudrer

GARNITURE

115 g de farine levante

85 g de beurre

85 g de sucre roux en poudre

VALEURS NUTRITIONNELLES

Calories	440
Protéines	. . . . .5 g
Glucides	. . . . .89 g
Lipides	. . . . .23 g
Acides gras saturés	. . . . . .14 g

variante

Vous pouvez remplacer les pommes par
de la rhubarbe fraîche, des groseilles
ou des poires, si vous le souhaitez.

conseil

Essayez de travailler vite
à l'étape 2, pour éviter
que les pommes ne
noircissent au contact
de l'air.

1 Préchauffer le four à
180 °C (th. 6) et graisser
un moule à fond amovible
de 23 cm de diamètre. Pour
la garniture, tamiser la farine
dans une jatte, incorporer
le beurre avec les doigts
de façon à obtenir une
consistance de chapelure
et incorporer le sucre.

2 Peler les pommes,
les évider et les couper
en fines lamelles. Dans une jatte,
tamiser la farine, la cannelle
et le sel. Dans une autre jatte,
battre le beurre en crème avec
le sucre jusqu'à ce que le
mélange blanchisse et incorporer
progressivement les œufs
en ajoutant un peu du mélange

à base de farine. Incorporer
délicatement la moitié
du mélange à base de farine
et ajouter le lait avec le mélange
à base de farine restant.

3 Garnir le moule de
la préparation obtenue,
lisser la surface et garnir de
pommes. Répartir la garniture,

cuire au four préchauffé
1 heure, jusqu'à ce que
le gâteau soit doré et ferme
au toucher, et sortir du four.
Laisser refroidir, démouler le
gâteau et saupoudrer de sucre
glace. Servir immédiatement.

le dessert d'Ève

pour 6 personnes　　　　**préparation : 15 min** ⏲　　　　**cuisson : 45 min** ⏲

Voici un dessert qui sera apprécié par toute la famille, dans lequel des pommes délicieusement sucrées garnissent une génoise moelleuse.

INGRÉDIENTS

75 g de beurre, un peu plus
pour graisser
450 g de pommes à cuire, pelées,
évidées et coupées en tranches
75 g de sucre cristallisé
1 cuil. à soupe de jus de citron
50 g de raisins de Smyrne
75 g de sucre en poudre
1 œuf, battu
150 g de farine levante
3 cuil. à soupe de lait
25 g d'amandes effilées
crème anglaise ou crème fraîche
épaisse, en accompagnement

VALEURS NUTRITIONNELLES

Calories 365	
Protéines . . . . .5 g	
Glucides . . . . .98 g	
Lipides . . . . .14 g	
Acides gras saturés . . . . . . .7 g	

conseil

Pour accentuer le goût d'amande, ajoutez 25 g de poudre d'amandes à la farine à l'étape 4.

1 Préchauffer le four à 180 °C (th. 6) et beurrer un plat allant au four d'une contenance de 850 ml. Mélanger le sucre cristallisé, le jus de citron, les pommes et les raisins de Smyrne, et répartir le mélange obtenu dans le plat.

2 Battre le beurre en crème avec le sucre en poudre jusqu'à ce que le mélange blanchisse, ajouter l'œuf et incorporer la farine. Ajouter le lait en mélangeant jusqu'à obtention d'une consistance lisse qui nappe la cuillère.

3 Napper les pommes de la préparation obtenue et parsemer d'amandes effilées.

4 Cuire au four préchauffé 40 à 45 minutes, jusqu'à ce que le biscuit soit bien doré, sortir du four et servir chaud,

accompagné de crème anglaise ou de crème fraîche épaisse.

crème meringuée à l'orange

🕐 cuisson : 50 min

🕐 préparation : 15 min,
repos : 15 min

pour 8 personnes

*Dans ce dessert, la traditionnelle crème meringuée est agrémentée
de marmelade d'orange, ce qui lui confère un petit goût acidulé.*

VALEURS NUTRITIONNELLES

Calories 289	
Protéines . . . . .6 g	
Glucides . . . . .96 g	
Lipides . . . . .8 g	
Acides gras saturés . . . . . .4 g	

INGRÉDIENTS

25 g de beurre, un peu plus

pour graisser

600 ml de lait

225 g de sucre en poudre

zeste d'une orange, finement râpé

4 œufs, blancs et jaunes séparés

75 g de chapelure

1 pincée de sel

6 cuil. à soupe de marmelade

d'orange

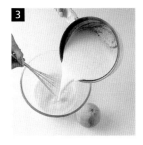

conseil

Si vous préférez
une meringue croquante,
faites-la cuire 5 minutes
supplémentaires.

1 Beurrer un plat d'une
contenance de 1,5 l.

2 Pour la crème, chauffer
le lait, le beurre, 50 g
de sucre et le zeste d'orange
dans une casserole, sans
laisser bouillir.

3 Dans une jatte, battre
les jaunes d'œufs,

ajouter la préparation précédente
sans cesser de remuer et
incorporer la chapelure. Garnir
le plat de la préparation
obtenue et laisser reposer
15 minutes.

4 Cuire au four préchauffé
20 à 25 minutes, jusqu'à
ce que la crème soit prise, sortir
du four en le laissant allumé.

5 Pour la meringue, battre
les blancs en neige avec
le sel et incorporer le sucre
restant progressivement sans
cesser de battre. Napper la
crème de marmelade, garnir
de meringue et cuire encore
20 minutes, jusqu'à ce que
la meringue soit bien dorée
et croquante. Servir
immédiatement.

cheesecake de Manhattan

pour 8 à 10 personnes

**préparation : 20 min, repos
et refroidissement : 10 heures**

cuisson : 35 min

*Un cheesecake américain classique, délicieusement
coloré par une garniture aux myrtilles.*

INGRÉDIENTS

huile de tournesol, pour graisser

85 g de beurre

200 g de sablés, écrasés

400 g de fromage blanc

2 gros œufs

140 g de sucre en poudre

1 cuil. à café ½ d'extrait de vanille

450 ml de crème aigre

GARNITURE AUX MYRTILLES

55 g de sucre en poudre

4 cuil. à soupe d'eau

250 g de myrtilles fraîches

1 cuil. à café d'arrow-root

VALEURS NUTRITIONNELLES

Calories	658
Protéines	. . . . .7 g
Glucides	. . . . .81 g
Lipides	. . . . .50 g
Acides gras saturés	. . . . . .30 g

variante

Remplacez les myrtilles par
des framboises, des cassis
ou des airelles, si vous le souhaitez.

conseil

Si possible, il est préférable
de laisser reposer le cheesecake
une nuit au réfrigérateur
à la fin de l'étape 2.

1 Préchauffer le four à
190 °C (th. 6-7) et huiler
un moule à fond amovible
de 20 cm de diamètre. Dans
une casserole, faire fondre
le beurre à feu doux, incorporer
les biscuits et garnir le moule
de la préparation. Mixer
le fromage blanc, les œufs,
100 g de sucre et ½ cuillerée
à café d'extrait de vanille dans
un robot de cuisine de façon

à obtenir une consistance
homogène, répartir dans
le moule et lisser la surface.
Disposer le moule sur une plaque
et cuire au four préchauffé
20 minutes. Sortir du four
et réserver 20 minutes
en laissant le four allumé.

2 Dans une jatte, mettre
la crème, le sucre
et l'extrait de vanille restants,

mélanger et verser dans
le moule. Cuire au four encore
10 minutes, sortir du four
et laisser refroidir. Mettre
8 heures au réfrigérateur.

3 Dans une casserole,
mettre le sucre et la
moitié de l'eau, chauffer à feu
doux sans cesser de remuer
jusqu'à ce que le sucre soit
dissous et augmenter le feu.

Ajouter les myrtilles, cuire jusqu'à
ce qu'elles ramollissent et retirer
du feu. Dans une jatte, mélanger
l'arrow-root et l'eau restante,
ajouter aux myrtilles et mélanger
jusqu'à obtention d'une
consistance homogène. Cuire
à feu doux jusqu'à ce que
le jus épaississe et laisser
refroidir. Démouler le cheesecake
1 heure avant de servir, garnir
de fruits et réserver au frais.

pavlova aux fruits exotiques

pour 8 personnes

préparation : 30 min,
refroidissement : 1 heure

cuisson : 1 h 15 à 1 h 30

Le pavlova est parfois décrit comme le plat national australien.
Il aurait été créé en 1935 par un chef australien qui lui donna
le nom de la ballerine russe, Anna Pavlova.

INGRÉDIENTS

3 blancs d'œufs

175 g de sucre en poudre

1 cuil. à café de maïzena, tamisée

1 cuil. à café de vinaigre de vin blanc

½ cuil. à café d'extrait de vanille

GARNITURE

300 ml de crème fraîche épaisse

2 mangues

4 fruits de la passion

VALEURS NUTRITIONNELLES

Calories	285
Protéines	. . . . .2 g
Glucides	. . . . .60 g
Lipides	. . . . .18 g
Acides gras saturés	. . . . . .11 g

variante

Variez les fruits utilisés pour
la garniture en fonction
de ce que vous trouvez.
En été, framboises, fraises
et groseilles constituent
une surprenante garniture.

1 Préchauffer le four
à 120 °C (th. 4).
Chemiser une plaque de four
de papier sulfurisé, dessiner
un cercle de 23 cm de diamètre
sur le papier et retourner le
papier. Battre les blancs d'œufs
en neige et incorporer le sucre
en trois fois, en battant bien
entre chaque ajout, jusqu'à ce
que le mélange soit ferme et

brillant. Incorporer la maïzena,
le vinaigre et l'extrait de vanille.

2 Garnir le cercle
de meringue, creuser
le centre et cuire au four
préchauffé 1 h 15 à 1 h 30,
jusqu'à ce que la meringue soit
légèrement colorée et sèche,
mais toujours tendre au centre.
Éteindre le four et y laisser

refroidir la meringue de sorte
qu'elle se fendille légèrement.

3 Fouetter la crème
et napper le pavlova.
Couper les mangues en deux,
couper la chair en dés et répartir
sur la crème. Évider la chair
des fruits de la passion sur
la mangue et servir
immédiatement.

roulé aux fraises et aux amandes

cuisson : 15 min

**préparation : 20 min,
refroidissement : 30 min**

pour 8 personnes

*Voici la variante d'un grand classique apprécié de tous, constitué
d'une légère génoise aux amandes, sans farine, enfermant
une garniture de fraises et de mascarpone.*

VALEURS NUTRITIONNELLES	
Calories 460	
Protéines . . . . .11 g	
Glucides . . . . .65 g	
Lipides . . . . .33 g	
Acides gras saturés . . . . . .13 g	

INGRÉDIENTS

beurre, pour graisser

6 œufs

200 g de sucre roux en poudre

2 cuil. à café de levure chimique

175 g de poudre d'amandes

sucre glace, pour décorer

GARNITURE

150 g de mascarpone

150 ml de crème fraîche épaisse

450 g de fraises fraîches

variante

Les framboises
accompagnent à merveille
la saveur des amandes et
remplacent sans problème
les fraises.

1 Préchauffer le four à 180 °C (th. 6), graisser une plaque de 38 x 25 cm et chemiser de papier sulfurisé. Séparer les blancs des jaunes, répartir dans 2 jattes, ajouter le sucre aux jaunes d'œufs et battre jusqu'à ce que le mélange blanchisse. Mélanger la levure et la poudre d'amandes, et incorporer délicatement à la préparation précédente en évitant de trop remuer. Battre les blancs en neige et incorporer à la préparation précédente.

2 Étaler la préparation sur la plaque et cuire au four préchauffé 15 minutes, jusqu'à ce que la génoise soit ferme. Sortir du four, couvrir d'un torchon et laisser refroidir sur la plaque. Dans une jatte, battre le mascarpone et la crème fraîche de façon à obtenir une consistance souple, réduire en purée la moitié des fraises et incorporer à la préparation à base de mascarpone. Hacher grossièrement les fraises restantes et réserver.

3 Saupoudrer une feuille de papier sulfurisé de sucre glace, retourner la génoise sur le papier et retirer la feuille qui a servi à la cuisson. Napper de crème, répartir les fraises hachées et rouler. Laisser reposer 1 à 2 heures, couper en tranches et servir.

pudding aux pommes

⏱ **cuisson : 1 heure**

🕐 **préparation : 35 min, repos : 20 à 30 min**

pour 6 personnes

VALEURS NUTRITIONNELLES

Calories 427

Protéines . . . . .9 g

Glucides . . . . .137 g

Lipides . . . . .13 g

Acides gras saturés . . . . . . .7 g

Ce pudding a été agrémenté de marmelade d'orange et de pommes hachées, ce qui lui confère un goût plus riche et sucré.

INGRÉDIENTS

5 cuil. à soupe de beurre, en pommade

4 ou 5 tranches de pain de mie

4 cuil. à soupe de marmelade d'orange

zeste râpé d'un citron

85 à 125 g de raisins secs

40 g zestes d'agrumes confits, grossièrement hachés

1 cuil. à café de cannelle en poudre

1 pomme à cuire, pelée, évidée et grossièrement râpée

85 g de sucre roux en poudre, un peu plus pour saupoudrer

3 œufs

500 ml de lait

variation

Utilisez les raisins que vous souhaitez et remplacez la cannelle par vos épices favorites.

conseil

Coupez la croûte des tranches de pain avant de le placer dans le moule si vous préférez. Si la surface commence à brunir, couvrez le plat d'une feuille de papier d'aluminium.

1 Beurrer un plat allant au four, couper les tranches de pain en triangle et tartiner de marmelade.

2 Garnir le fond du moule d'une couche de tranches de pain et répartir le zeste de citron, la pomme râpée, la moitié des raisins secs, des zestes d'agrumes, de la cannelle et du sucre roux. Couvrir d'une seconde couche de tranches de pain et redécouper selon la forme du moule.

3 Répartir sur le pain une partie des raisins et les zestes d'agrumes, les épices et le sucre roux restants, et ajouter une autre couche de tranches de pain redécoupées selon la forme du moule. Dans une jatte, battre légèrement les œufs et le lait, verser dans le plat et laisser reposer 20 à 30 minutes.

4 Saupoudrer de sucre, parsemer de raisins et cuire au four préchauffé, à 200 °C (th. 6-7), 1 heure, jusqu'à ce que la préparation ait levé et soit dorée. Servir immédiatement ou laisser refroidir et servir froid.

roulé de meringue pêche melba

pour 8 personnes | **préparation : 25 min,** | **cuisson : 45 à 50 min**
refroidissement : 15 min

Ce nuage de meringue est un dessert à se damner, croustillant
à l'extérieur et moelleux à l'intérieur. Vous pouvez préparer
la meringue 8 heures avant de la garnir et, une fois assemblé,
le roulé se conserve jusqu'à 2 jours au réfrigérateur.

INGRÉDIENTS

huile de tournesol, pour graisser

COULIS

350 g de framboises fraîches

115 g de sucre glace

MERINGUE

2 cuil. à café de maïzena

300 g de sucre en poudre

5 gros blancs d'œufs

1 cuil. à café de vinaigre de cidre

GARNITURE

3 pêches, pelées, dénoyautées
et hachées (voir conseil)

250 g de framboises fraîches

350 ml de crème fraîche épaisse

VALEURS NUTRITIONNELLES

Calories 428

Protéines . . . . .4 g

Glucides . . . . .125 g

Lipides . . . . .19 g

Acides gras saturés . . . . . .12 g

variante

Vous pouvez également utiliser
des pêches en boîte et des framboises
surgelées, si ce n'est pas la saison.

conseil

Pour peler et dénoyauter
les pêches, plongez-les
30 secondes dans de l'eau
bouillante et plongez-les dans
un bol d'eau froide. Retirez
la peau, coupez-les en deux
et retirez le noyau.

1 Préchauffer le four
à 150 °C (th. 5), huiler
une plaque de 35 x 25 cm et
chemiser de papier sulfurisé.
Pour le coulis, réduire en purée
les framboises avec le sucre
glace, passer dans un tamis
en appuyant bien et réserver.
Pour la meringue, tamiser
la maïzena dans une jatte
et incorporer le sucre. Dans
une autre jatte, battre les blancs

en neige, ajouter le vinaigre
et incorporer progressivement
le mélange à base de maïzena
sans cesser de battre jusqu'à
ce que la préparation soit ferme
et brillante.

2 Répartir uniformément
la préparation obtenue
sur la plaque en laissant une
marge de 1 cm, et cuire au four
préchauffé 20 minutes.

Réduire la température à 110 °C
(th. 3-4) et cuire encore
25 à 30 minutes, jusqu'à ce
que la préparation ait levé.
Sortir du four, laisser refroidir
15 minutes et retourner sur
du papier sulfurisé.

3 Mélanger les pêches
et les framboises, ajouter
2 cuillerées à soupe de coulis
et mélanger de nouveau.

Fouetter la crème jusqu'à
obtention d'une consistance
épaisse, étaler sur la meringue
et répartir les fruits, en laissant
une marge de 3 cm sur un bord
court. En se servant du papier
sulfurisé, soulever et rouler
la meringue en commençant
du côté du bord court sans
marge et en terminant de sorte
que la jointure soit vers le bas.
Servir accompagné de coulis.

puddings au café et aux noix

pour 6 puddings　　　　**préparation : 20 min** 　　　　**cuisson : 30 à 40 min**

Vous êtes sûr de ravir vos convives avec ces délicieux petits puddings
légers au café, accompagnés d'un caramel au beurre.

INGRÉDIENTS

55 g de beurre, en pommade,
un peu plus pour graisser
1 cuil. à soupe de café soluble
150 g de farine levante
1 cuil. à café de cannelle en poudre
55 g de sucre roux en poudre, tamisé
2 gros œufs, battus
55 g de noix, finement hachées

SAUCE AU CARAMEL

25 g de noix, concassées
55 g de beurre
55 g de sucre roux en poudre
150 ml de crème fraîche

VALEURS NUTRITIONNELLES

Calories	520
Protéines	. . . . .7 g
Glucides	. . . . .60 g
Lipides	. . . . .38 g
Acides gras saturés	. . . . . .19 g

conseil

Vous pouvez cuire le pudding
en une seule fois, mais dans
ce cas, la préparation doit être
placée dans un moule
à pudding, couverte et cuite
1 h 30 à la vapeur.

1 Préchauffer le four
à 190 °C (th. 6-7) et
graisser 6 moules à pudding
individuels en métal. Dissoudre
le café dans 2 cuillerées à soupe
d'eau bouillante. Tamiser la
farine et la cannelle, et réserver.
Dans une jatte, battre le beurre
en crème avec le sucre jusqu'à
ce que le mélange blanchisse
et incorporer les œufs, en
ajoutant de la farine de façon

à éviter que la préparation prenne
un aspect caillée. Incorporer
la moitié du mélange à base
de farine, ajouter la préparation
restante en alternant avec
le café et incorporer les noix.

2 Garnir les moules de
la préparation obtenue,
couvrir chaque moule de papier
d'aluminium beurré et maintenir
à l'aide d'un élastique. Disposer

les moules dans un plat allant
au four, verser de l'eau de sorte
que les moules soient immergés
à demi et couvrir le plat de
papier d'aluminium en repliant
celui-ci sous le rebord.

3 Cuire les puddings
au four préchauffé
30 à 40 minutes, jusqu'à
ce qu'ils aient levé et soient
fermes au toucher.

4 Pour la sauce, mettre
les ingrédients dans
une casserole, chauffer à feu
doux sans cesser de remuer
jusqu'à ce que le tout ait fondu
et laisser frémir. Retirer du feu,
démouler les puddings sur
des assiettes à dessert et napper
de sauce chaude. Servir
immédiatement.

pudding façon Tatin aux fruits exotiques

⏲ **cuisson : 50 à 60 min**

🕐 **préparation : 25 min, repos : 10 min**

pour 8 personnes

Ce pudding moelleux est exquis servi chaud avec de la glace mais vous pouvez aussi bien le déguster froid.

VALEURS NUTRITIONNELLES	
Calories 472	
Protéines . . . . .5 g	
Glucides . . . . .99 g	
Lipides . . . . .26 g	
Acides gras saturés . . . . . .16 g	

INGRÉDIENTS

175 g de beurre, en pommade, un peu plus pour graisser

175 g de sucre roux en poudre

3 œufs

175 g de farine levante

1 cuil. à café de mélange d'épices

GARNITURE

55 g de beurre, en pommade

55 g de sucre roux en poudre

2 bananes

1 petit ananas

1 mangue

conseil

Si vous manquez de temps et que voulez accélérer les choses, mélangez les ingrédients dans un robot de cuisine.

1 Préchauffer le four à 180 °C (th. 6) et graisser un moule de 20 cm de diamètre.

2 Étaler le beurre de la garniture uniformément au fond du moule et saupoudrer de sucre. Peler les bananes et les couper en rondelles épaisses. Peler l'ananas et la mangue, et les découper en morceaux. Mélanger les fruits et les mettre dans le moule.

3 Dans une jatte, mettre le beurre, le sucre et les œufs, tamiser la farine et les épices, et remuer jusqu'à obtention d'une consistance légère. Répartir la préparation sur les fruits et cuire au four préchauffé 50 minutes à 1 heure, jusqu'à ce que le gâteau ait levé et soit ferme au toucher. Sortir du four, laisser tiédir 10 minutes et détacher le gâteau des parois à l'aide d'une spatule. Retourner sur un plat et servir.

gâteau allemand aux pâtes

🕐 cuisson : 50 min   🕐 préparation : 10 min   pour 4 personnes

Ce gâteau traditionnel juif est nourrissant et sera certainement apprécié par toute la famille.

INGRÉDIENTS

60 g de beurre, un peu plus pour graisser	125 ml de crème aigre
175 g de pâtes plates aux œufs	1 cuil. à café d'extrait de vanille
115 g de fromage blanc	1 pincée de cannelle en poudre
225 g de faisselle	1 cuil. à café de zeste de citron râpé
85 g de sucre en poudre	25 g d'amandes effilées
2 œufs, légèrement battus	25 g de chapelure blanche
	sucre glace tamisé, pour saupoudrer

variation

Bien que ce ne soit pas dans la tradition, vous pouvez ajouter des raisins secs avec le zeste de citron à l'étape 2.

conseil

Lorsque vous ferez revenir les amandes, ne cessez pas de remuer et surveillez-les car elles peuvent brûler facilement. Retirez la poêle du feu dès qu'elles deviennent légèrement dorées.

1 Préchauffer le four à 180 °C (th. 6) et beurrer un plat allant au four. Porter à ébullition une casserole d'eau, ajouter les pâtes et cuire 10 minutes, jusqu'à ce qu'elles soient al dente. Égoutter et réserver.

2 Dans une jatte, battre le fromage blanc, la faisselle et le sucre, incorporer progressivement les œufs en battant bien après chaque ajout et ajouter la crème aigre, l'extrait de vanille, la cannelle, le zeste de citron et les pâtes. Mélanger de sorte que les pâtes soient bien enrobées, garnir le plat de la préparation obtenue et lisser la surface.

3 Dans une poêle, faire fondre le beurre à feu doux, ajouter les amandes et faire revenir 1 minute sans cesser de remuer, jusqu'à ce que les amandes soient dorées. Retirer la poêle du feu et mélanger la chapelure aux amandes.

4 Parsemer le gâteau du mélange à base d'amandes et cuire au four préchauffé 35 à 40 minutes, jusqu'à ce que le gâteau soit juste pris. Saupoudrer de sucre glace et servir immédiatement.

pudding au panettone

pour 6 personnes

préparation : 15 min,
repos : 1 heure

cuisson : 40 min

Voici une variante du pain perdu traditionnel,
confectionné avec du panettone.

INGRÉDIENTS

40 g de beurre, en pommade,
un peu plus pour graisser
250 g de panettone, coupé en tranches
225 ml de lait
225 ml de crème fraîche épaisse
1 gousse de vanille, fendue en deux
3 œufs
115 g de sucre roux en poudre
2 cuil. à soupe de confiture d'abricots,
chauffée et filtrée

VALEURS NUTRITIONNELLES

Calories	.496
Protéines	.9 g
Glucides	.83 g
Lipides	.31 g
Acides gras saturés	.17 g

conseil

Vous pouvez rincer et sécher
avec du papier absorbant
la gousse de vanille utilisée
ici et la réutiliser dans
une autre recette.

1 Graisser un moule
allant au four d'une
contenance de 850 ml. Beurrer
les tranches de panettone et
disposer dans le plat. Mettre
le lait, la crème et la gousse
de vanille dans une casserole,
chauffer à feu doux et faire
frémir. Dans une jatte, battre

les œufs et le sucre, ajouter
la préparation à base de lait
et fouetter.

2 Verser la préparation sur
le panettone beurré en
la filtrant à l'aide d'un chinois,
laisser reposer 1 heure, de sorte
que le panettone absorbe

la crème et préchauffer le four
à 160 °C (th. 5-6).

3 Cuire au four préchauffé
40 minutes, napper
de confiture d'abricots et passer
1 minute au gril chaud si les
tranches de panettone ne sont
pas grillées et croustillantes.

pudding au citron

cuisson : 50 min à 1 heure   **préparation : 15 min**   **pour 6 personnes**

Voici une préparation légère et délicate, produisant une sauce délicieuse qui se répand sous le gâteau en cuisant.

VALEURS NUTRITIONNELLES	
Calories	360
Protéines	. . . . .8 g
Glucides	. . . . .73 g
Lipides	. . . . .20 g
Acides gras saturés	. . . . . .12 g

INGRÉDIENTS

100 g de beurre, en pommade,
un peu plus pour graisser

175 g de sucre roux en poudre

zeste râpé et jus de 2 citrons

4 œufs

40 g de farine

400 ml de lait

sucre glace, pour saupoudrer

conseil

Les citrons ne produisent pas tous la même quantité de jus. Si vous pensez qu'ils manquent de jus, prenez-en trois. Si vous utilisez le zeste dans une recette, préférez les citrons non traités.

1 Préchauffer le four à 180 °C (th. 6) et graisser un plat allant au four d'une contenance de 1 litre. Dans une jatte, battre le beurre en crème avec le sucre et le zeste de citron jusqu'à ce que le mélange blanchisse. Séparer le blanc des jaunes, mettre les blancs dans une jatte et ajouter les jaunes au mélange précédent avec la farine et le jus de citron en battant.

2 Incorporer le lait progressivement dans la préparation précédente, battre les blancs d'œufs en neige ferme et incorporer délicatement à la préparation. Garnir le plat de sorte que la préparation arrive à mi-hauteur.

3 Disposer le plat dans un plat allant au four, verser de l'eau chaude de sorte qu'elle ait 2,5 cm de hauteur, et cuire au four préchauffé 50 minutes à 1 heure, jusqu'à ce que le pudding ait levé et soit doré. Sortir du four, laisser tiédir 5 minutes et saupoudrer de sucre glace. Servir immédiatement.

puddings au gingembre et au citron

pour 8 puddings   préparation : 20 min   cuisson : 30 à 40 min

Ces petits puddings sont très légers et clôtureront à merveille un repas très copieux.

INGRÉDIENTS

115 g de beurre, en pommade, un peu plus pour graisser

2 citrons

85 g de gingembre confit, égoutté et haché, en réservant

1 cuil. à soupe de sirop

2 cuil. à soupe de sirop de sucre de canne

175 g de farine levante

2 cuil. à café de gingembre en poudre

115 g de sucre roux en poudre

2 œufs, battus

3 à 4 cuil. à soupe de lait

crème à la vanille, en accompagnement

VALEURS NUTRITIONNELLES

Calories	232
Protéines	. . . . .4 g
Glucides	. . . . .32 g
Lipides	. . . . .14 g
Acides gras saturés	. . . . . .8 g

variante

Si vous le souhaitez, vous pouvez servir les puddings avec de la glace à la vanille.

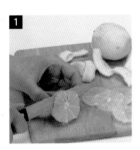

conseil

Lorsque vous râpez le zeste des citrons, veillez à ne pas râper le blanc qui donne un goût amer.

1 Préchauffer le four à 160 °C (th. 5-6), graisser 8 moules à pudding individuels en métal. Râper le zeste des citrons et réserver. Peler un citron, couper la chair en 8 fines rondelles et presser la moitié de l'autre citron. Dans une jatte, mettre le sirop de gingembre et de sucre de canne avec 1 cuillerée à café de jus de citron et mélanger.

2 Répartir la préparation dans les moules et garnir chaque moule d'une rondelle de citron. Dans une jatte, tamiser la farine et le gingembre en poudre. Dans une autre jatte, battre le beurre en crème avec le sucre jusqu'à ce que le mélange blanchisse, incorporer progressivement les œufs, le mélange à base de farine et du lait de façon à obtenir une consistance qui nappe la cuillère. Ajouter le zeste de citron réservé et le gingembre confit haché.

3 Garnir les moules de la préparation obtenue, couvrir chaque moule de papier d'aluminium beurré et maintenir à l'aide d'un élastique. Disposer les moules dans un plat allant au four, verser de l'eau de sorte que les moules soient immergés à demi et couvrir le plat de papier d'aluminium en repliant celui-ci sous le rebord. Cuire au four préchauffé 30 à 40 minutes, jusqu'à ce que les puddings aient levé et soient fermes au toucher, sortir du four et retourner les puddings sur un plat de service. Servir avec de la crème à la vanille.

crumble aux pommes et aux mûres

pour 4 personnes　　　　**préparation : 15 min** 　　　　**cuisson : 40 à 45 min**

*Un crumble, l'un des desserts les plus faciles à préparer,
est toujours apprécié à la fin d'un repas de famille.*

INGRÉDIENTS

900 g de pommes à cuire,
pelées et émincées

300 g de mûres, fraîches ou surgelées

55 g de sucre roux en poudre

1 cuil. à café de cannelle en poudre

crème anglaise ou crème fraîche,
en accompagnement

CRUMBLE

85 g de farine levante

85 g de farine complète

115 g de beurre

55 g de sucre roux en poudre

VALEURS NUTRITIONNELLES

Calories 530

Protéines . . . . .6 g

Glucides . . . . .123 g

Lipides . . . . .25 g

Acides gras saturés . . . . . .16 g

variante

Parsemez le crumble d'une poignée
d'amandes hachées ou émincées
avant de servir, si vous le souhaitez.

conseil

Lorsque vous préparez
un crumble, incorporez
le beurre dans la farine avec
les doigts de façon à obtenir
une consistance de chapelure
épaisse. Le crumble n'en sera
que plus croustillant.

1 Préchauffer le four
à 200 °C (th. 6-7)
et couper les pommes
en morceaux. Mettre dans
une jatte avec les mûres,
le sucre et la cannelle,
mélanger et transférer
dans un plat allant au four.

2 Dans une jatte, tamiser
la farine levante,
ajouter la farine complète
et incorporer le beurre avec
les doigts de façon à obtenir
une consistance de chapelure
épaisse. Ajouter le sucre
et mélanger.

3 Répartir le crumble sur
les pommes, cuire au four
préchauffé 40 à 45 minutes,
jusqu'à ce que les pommes
soient tendres et le crumble
bien doré, et sortir du four.
Servir avec de la crème anglaise
ou de la crème fraîche.

dessert aux mûres

pour 4 personnes   **préparation : 15 min** ⟳   **cuisson : 30 min**

Voici une merveilleuse idée de dessert lorsque c'est la saison des mûres. Utilisez aussi des raisins secs ou des groseilles à maquereau.

INGRÉDIENTS

75 g de beurre, fondu, un peu plus
pour graisser
450 g de mûres
75 g de sucre en poudre
1 œuf
75 g de sucre roux en poudre,
un peu plus pour saupoudrer
8 cuil. à soupe de lait
125 g de farine levante

VALEURS NUTRITIONNELLES

Calories	455
Protéines	. . . . .7 g
Glucides	. . . . .117 g
Lipides	. . . . .18 g
Acides gras saturés	. . . . . .11 g

variante

Vous pouvez ajouter 2 cuillerées à soupe de cacao en poudre à la pâte, à l'étape 3.

1 Préchauffer le four à 180 °C (th. 6) et beurrer un plat allant au four d'une contenance de 900 ml.

2 Dans une jatte, mélanger les mûres et le sucre, et transférer dans le plat.

3 Dans une autre jatte, battre l'œuf et le sucre roux, et incorporer le beurre fondu et le lait. Tamiser la farine et incorporer délicatement de façon à obtenir une pâte lisse et fluide.

4 Répartir soigneusement la pâte obtenue dans le plat de façon à recouvrir les fruits. Cuire au four préchauffé 25 à 30 minutes, jusqu'à ce que la surface soit ferme et dorée, sortir du four et saupoudrer d'un peu de sucre roux. Servir immédiatement.

sablé aux framboises

cuisson : 15 min

**préparation : 15 min,
refroidissement : 30 min**

pour 8 personnes

*Pour cet adorable dessert d'été, deux sablés croustillants
sont garnis de groseilles fraîches et de crème fouettée.*

VALEURS NUTRITIONNELLES	
Calories 496	
Protéines . . . . .4 g	
Glucides . . . . .44 g	
Lipides . . . . .41 g	
Acides gras saturés . . . . . .26 g	

INGRÉDIENTS

100 g de beurre, coupé en dés,
un peu plus pour graisser

175 g de farine levante

75 g de sucre en poudre

1 jaune d'œuf

1 cuil. à soupe d'eau de rose

600 ml de crème fraîche, légèrement
fouettée

225 g de framboises

DÉCORATION

sucre glace

quelques framboises

feuilles de menthe fraîche (facultatif)

conseil

La pâte sablée peut être
préparée quelques jours
avant la confection
du dessert et conservée
dans un récipient hermétique.

1 Préchauffer le four
à 190 °C (th. 6-7) et
beurrer deux plaques de four.

2 Pour la pâte sablée,
tamiser la farine dans
une jatte, incorporer le beurre
avec les doigts de façon à
obtenir une consistance de
chapelure et ajouter le sucre,
le jaune d'œuf et l'eau de rose

en mélangeant jusqu'à
obtention d'une pâte lisse.
Diviser la préparation en deux.

3 Abaisser chaque portion
de pâte en deux ronds
de 20 cm de diamètre, disposer
sur une plaque de four et
pratiquer des petites encoches
sur le bord de la pâte avec
le doigt.

4 Cuire au four préchauffé
15 minutes, jusqu'à
ce que les pâtes sablées soient
dorées, sortir du four
et transférer sur une grille.
Laisser refroidir complètement.

5 Mélanger les framboises
et la crème fraîche,
napper l'une des pâtes sablées
à l'aide d'une cuillère et

disposer l'autre pâte dessus.
Saupoudrer de sucre glace
et décorer de framboises
et de brins de menthe.

index

A

abricot
    cake épicé aux pommes et aux abricots 92
    pain aux abricots et aux noix 84
    tarte aux dattes et aux abricots 124
agrume
    croissants aux agrumes 44
    pain aux agrumes 59
amande
    biscotti aux amandes 28
    gâteau aux cerises et aux amandes 200
    gâteau marocain aux oranges
    et aux amandes 226
    roulé aux fraises et aux amandes 237
    tarte aux prunes et aux amandes 113
    asperge
tarte aux asperges et au chèvre 156
    avocat
tartelettes en pâte filo farcies à l'avocat 135
    avoine
biscuits à l'avoine et aux raisins secs 38
cookies croquants aux flocons d'avoine 24

B

banane
    cake aux bananes et aux pépites
    de chocolat 94
    chaussons à la banane 103
    gâteau à la banane et au citron vert 205
baklavas 118
barm brack 87
beurre de cacahuète
    cookies au beurre de cacahuètes 40
biscotti aux amandes 28
biscuits
    à l'avoine et aux raisins secs 38
    à la lavande 37
    aux épices 18
    cocktail épicés 42
    de Pâques 34
blinis 195
blondies aux noix et à la cannelle 166
bœuf
    gratin de bœuf aux tomates 154
bonshommes de pain d'épice 16
brioches à l'orange et aux raisins 81
briochettes aux fruits confits 76
brownies au moka 167

C

café
    gâteau au café et au caramel 214
    puddings au café et aux noix 242

cannelle
    blondies aux noix et à la cannelle 166
    cake à la cannelle et aux raisins secs 90
    gâteau aux poires et à la cannelle 206
    muffins aux pommes et à la cannelle 176
    spirales à la cannelle 77
cake
    à la confiture de gingembre 93
    au potiron 99
    aux bananes et aux pépites de chocolat 94
    aux dattes et aux noix 89
    aux fruits à la compote de pommes 72
    brillant aux fruits 97
    croustillant aux mûres et aux pommes 71
    épicé aux pommes et aux abricots 92
capuccino
    pavés au capuccino 164
caramel
    gâteau au café et au caramel 214
carotte
    gâteau aux carottes 212
cerise
    gâteau aux cerises et aux amandes 200
    gâteaux à la noix de coco et aux cerises 170
    rochers aux cerises et aux raisins 174
    scones aux cerises confites 182
chocolat
    cake aux bananes et aux pépites
    de chocolat 94
    cookies aux deux chocolats 32
    gâteau au chocolat du Mississippi 215
    marbré au chocolat et à l'orange 88
    muffins aux trois chocolats 178
    pain levé au chocolat 68
    tarte chocolatée aux marrons
    et gingembre 130
citron
    gâteau à la banane et au citron vert 205
    gâteau aux myrtilles et son nappage
    citronné 210
    pancakes au citron et à la ricotta 179
    papillons au citron 162
    pudding au citron 247
    puddings au gingembre et au citron 248
    serpentins au citron 45
    tarte au citron 114
    tarte au citron vert et à la noix de coco 120
chaussons à la banane 103
cheesecake de Manhattan 234
cookies
    au beurre de cacahuètes 40
    aux deux chocolats 32
    croquants aux flocons d'avoine 24

multicolores 22
crabe
    samosas au crabe et au gingembre 134
crème
    crème meringuée à l'orange 233
    tartelettes à la crème brûlée 104
    tarte à la crème 110
crevette
    mini-choux au cocktail de crevettes 136
croissants aux agrumes 44
crumble aux pommes et aux mûres 250
curry
    petites galettes salées au curry 19

D

datte
    cake aux dattes et aux noix 89
    gâteau aux dattes 211
    pain aux dattes et au miel 98
    tarte aux dattes et aux abricots 124
délice toscan 229
dessert aux mûres 252
dessert d'Ève 232
dinde
    terrine de dinde aux légumes 146

E

épices
    biscuits aux épices 18
    biscuits cocktail épicés 42
    bonshommes de pain d'épice 16
    cake épicé aux pommes et aux abricots 92
    gâteau épicé au miel 207
éclairs aux framboises 122
éventails sablés au beurre 20

F

feuilletés aux fruits 105
flapjacks 23
    à la noix de coco 39
fougasse aux olives noires 56
fraise
    meringues aux fraises et à l'eau de rose 172
    roulé aux fraises et aux amandes 237
framboise
    éclairs aux framboises 122
    sablé aux framboises 253
friands au fromage et au jambon 152
fromage
    friands au fromage et au jambon 152
    gressins au fromage 48
    mini-tourtes au fromage et à l'oignon 141
    muffins au fromage 193

index

pain au fromage 63
pain au fromage et au jambon 62
pain de maïs au fromage et au piment 61
pain tressé au fromage et à la ciboulette 57
sablés au fromage et au romarin 47
scones au fromage et à la ciboulette 194
tarte aux asperges et au chèvre 156
tartelettes au fromage et à l'oignon vert 147
tartelettes au pistou et au chèvre 139
tartelettes grecques à la féta et aux olives 138
tartelettes oignons-mozzarella 140
fruits
    briochettes aux fruits confits 76
    cake aux fruits à la compote de pommes 72
    cake brillant aux fruits 97
    feuilletés aux fruits 105
    gâteau aux fruits secs 217
    gâteau aux fruits secs et aux pignons 69
    gâteau de Noël aux fruits 208
    gâteau de Savoie aux fruits confits 203
    muffins aux fruits 191
    pain aux fruits tropicaux 66
    pavlova aux fruits exotiques 236
    pudding façon Tatin aux fruits exotiques 243
    tartelettes aux fruits d'été 126
fruit de la passion
    gâteau au fruit de la passion 218

G

gâteau
    à la banane et au citron vert 205
    allemand aux pâtes 245
    antillais à la noix de coco 202
    au café et au caramel 214
    au chocolat du Mississippi 215
    au gingembre confit 198
    aux carottes 212
    aux cerises et aux amandes 200
    aux dattes 211
    aux fruits de la passion 218
    aux fruits secs 217
    aux fruits secs et aux pignons 69
    aux myrtilles et son nappage citronné 210
    aux poires et à la cannelle 206
    de Noël aux fruits 208
    de Savoie aux fruits confits 203
    des tropiques 220
    épicé au miel 207
    marocain aux oranges et aux amandes 226
    Victoria 219

à la noix de coco et aux cerises 170
gingembre
    cake à la confiture de gingembre 93
    gâteau au gingembre confit 198
    puddings au gingembre et au citron 248
    sablés nappés au gingembre 26
    samosas au crabe et au gingembre 134
    tarte chocolatée aux marrons et gingembre 130
    tartelettes aux poires et au gingembre 111
gratin
    de bœuf aux tomates 154
    de poisson fumé 149
gressins au fromage 48

H - I - J - K

hachis Parmentier au poulet 143
jambon
friands au fromage et au jambon 152
pain au fromage et au jambon 62
kouglof au carvi 80

L

lavande
    biscuits à la lavande 37
    petits fours à la lavande 160
lasagnes de poulet 144
légumes
    terrine de dinde aux légumes 146

M

maïs
    pain de maïs au fromage et au piment 61
mangue
    pain torsadé à la mangue 65
marbré au chocolat et à l'orange 88
marron
    tarte chocolatée aux marrons et gingembre 130
mélasse
    tarte à la mélasse et à l'orange 117
meringues
    aux fraises et à l'eau de rose 172
    brunes 171
    roulé de meringue pêche melba 240
miel
    gâteau épicé au miel 207
    pain aux dattes et au miel 98
mini-choux au cocktail de crevettes 136
mini-focaccias 53
mini-tourtes au fromage et à l'oignon 141
moka
    brownies au moka 167

muffins
    à la pancetta et à la polenta 192
    au fromage 193
    aux pommes et à la cannelle 176
    aux trois chocolats 178
mûre
    cake croustillant aux mûres et aux pommes 71
    crumble aux pommes et aux mûres 250
    dessert aux mûres 252
myrtille
    gâteau aux myrtilles et son nappage citronné 210

N

noisette
    petits pavés aux noisettes 30
noix
    blondies aux noix et à la cannelle 166
    cake aux dattes et aux noix 89
    pain aux abricots et aux noix 84
    puddings au café et aux noix 242
    strudel aux poires et aux noix de pécan 128
    tarte aux noix de pécan 108
noix de coco
    flapjacks à la noix de coco 39
    gâteau antillais à la noix de coco 202
    gâteaux à la noix de coco et aux cerises 170
    tarte à la noix de coco 106
    tarte au citron vert et à la noix de coco 120

O

oignon
    mini-tourtes au fromage et à l'oignon 141
    tarte à l'oignon 157
    tarte Tatin à l'oignon rouge 153
    tartelettes au fromage et à l'oignon vert 147
    tartelettes oignons-mozzarella 140
olive
    fougasse aux olives noires 56
    tartelettes grecques à la féta et aux olives 138
orange
    brioches à l'orange et aux raisins 81
    crème meringuée à l'orange 233
    gâteau marocain aux oranges et aux amandes 226
    marbré au chocolat et à l'orange 88
    pancakes écossais au beurre à l'orange 188
    tarte à la mélasse et à l'orange 117

P

pain

index

au fromage 63
au fromage et au jambon 62
aux abricots et aux noix 84
aux agrumes 59
aux dattes et au miel 98
aux fruits tropicaux 66
de maïs au fromage et au piment 61
irlandais 60
levé au chocolat 68
torsadé à la mangue 65
tressé au fromage et à la ciboulette 57
pudding de pain à l'italienne 228
palmiers au pistou 46
pancakes
  au citron et à la ricotta 179
  écossais au beurre à l'orange 188
pancetta
  muffins à la pancetta et à la polenta 192
panettone
  pudding au panettone 246
papillons au citron 162
pastelitos mexicains 36
pâtes
  gâteau allemand aux pâtes 245
pavés
  au capuccino 164
  moelleux aux graines de tournesol 31
pavlova aux fruits exotiques 236
pêche
  roulé de meringue pêche melba 240
petites galettes salées au curry 19
petits cœurs à la vanille 21
petits fours à la lavande 160
petits pains
  à la tomate séchée 52
  de Chelsea 82
  du Vendredi Saint 78
petits pavés aux noisettes 30
petits scones 183
pignon
  gâteau aux fruits secs et aux pignons 69
pistache
  tuiles aux pistaches et à la cardamome 29
pistou
  palmiers au pistou 46
  tartelettes au pistou et au chèvre 139
pizza au pepperoni 54
poire
  gâteau aux poires et à la cannelle 206
  strudel aux poires et aux noix de pécan 128
  tarte Tatin aux poires et à la cardamome 116
  tartelettes aux poires et au gingembre 111

poisson
  gratin de poisson fumé 149
polenta
  muffins à la pancetta et à la polenta 192
pomme
  cake aux fruits à la compote de pommes 72
  cake croustillant aux mûres et aux pommes 71
  cake épicé aux pommes et aux abricots 92
  crumble aux pommes et aux mûres 250
  muffins aux pommes et à la cannelle 176
  pudding aux pommes 239
  sablés moelleux fourrés aux pommes 181
  streusel aux pommes 230
potiron
  cake au potiron 99
poulet
  hachis Parmentier au poulet 143
  lasagnes de poulet 144
prune
  tarte aux prunes et aux amandes 113
pudding
  au citron 247
  au panettone 246
  aux pommes 239
  de pain à l'italienne 228
  façon Tatin aux fruits exotiques 243
  au café et aux noix 242
  au gingembre et au citron 248

R

raisin
  biscuits à l'avoine et aux raisins secs 38
  brioches à l'orange et aux raisins 81
  cake à la cannelle et aux raisins secs 90
  rochers aux cerises et aux raisins 174
rhubarbe
  tarte à la rhubarbe 125
ricotta
  pancakes au citron et à la ricotta 179
  tarte sicilienne à la ricotta 129
  rochers aux cerises et aux raisins 174
  roulé aux fraises et aux amandes 237
  roulé de meringue pêche melba 240

S

sablé
  aux framboises 253
  au fromage et au romarin 47
  au mincemeat 168
  moelleux fourrés aux pommes 181
  nappés au gingembre 26
samosas au crabe et au gingembre 134

scones
  au babeurre 184
  au fromage et à la ciboulette 194
  aux cerises confites 182
  gallois 186
serpentins au citron 45
spirales à la cannelle 77
stollen 74
streusel aux pommes 230
strudel aux poires et aux noix de pécan 128

T

tarte
  à l'oignon 157
  à la crème 110
  à la mélasse et à l'orange 117
  à la noix de coco 106
  à la provençale 151
  à la rhubarbe 125
  au citron 114
  au citron vert et à la noix de coco 120
  aux asperges et au chèvre 156
  aux dattes et aux abricots 124
  aux noix de pécan 108
  aux prunes et aux amandes 113
  chocolatée aux marrons et gingembre 130
  sicilienne à la ricotta 129
  Tatin à l'oignon rouge 153
  Tatin aux poires et à la cardamome 116
tartelettes
  à la crème brûlée 104
  à la tomate fraîche 150
  au fromage et à l'oignon vert 147
  au pistou et au chèvre 139
  aux fruits d'été 126
  aux poires et au gingembre 111
  croquantes au sirop d'érable 132
  en pâte filo farcies à l'avocat 135
  grecques à la féta et aux olives 138
  oignons-mozzarella 140
terrine de dinde aux légumes 146
tomate
  gratin de bœuf aux tomates 154
  petits pains à la tomate séchée 52
  tartelettes à la tomate fraîche 150
tournesol
  pavés moelleux aux graines de tournesol 31
tuiles aux pistaches et à la cardamome 29

V

vanille
  petits cœurs à la vanille 21